凝煉知識品味閱讀

大學國文選
轉化與創造

五南圖書出版公司 印行

輔仁大學國文選編輯委員會
召集人 王欣慧
主 編 孫永忠
編 撰 余育婷、李鵑娟、孫永忠、黃培青

編者的話　轉化與創造

黃培青、余育婷

> 大學之道，在明明德，在親民，在止於至善。
>
> ——〈大學〉

所謂「大學之道」，旨在彰明德行、新革時務、追尋至善之理。其中，「學習」，更是世界日新、又新的關鍵動力所在。然而在面對前人淵博文化遺產的同時，卻總不免令人生發望洋興嘆之感。對此，《莊子》早已發出「以有涯隨無涯，殆矣！」的警語，而後生晚輩的我們，面對此一境況，又該如何自處呢？

再者，《文心雕龍．宗經》篇有云：「經也者，恆久之至道，不刊之鴻教也。」如若今之所學者皆是前賢所遺留的豐厚寶藏，後人除了點檢珍藏外，還能另作處置嗎？

然而，人之為人，貴在獨創。如果只是一味復刻、重述前人話語，豈不異拾人牙慧？所以，「經典」若只是定為一尊、束之高閣，那麼後世學者只能如同傳聲機般存在，不起其他作用。

是以未來有志從事人文、藝術、設計領域學群的同學，更應明白「轉化」與「創造」的必要性。我們可以用謙卑的態度對經典表示推崇與尊重，卻不可忘卻自我存在、創發與能動的力量。

在詩詞的世界裡，古往即有「閨怨詩」的抒情傳統。〈別賦〉所云：「春草碧色，春水淥波，送君南浦，傷如之何！」於此聯綴了多少離人悲歌。在人世糾結而複雜的愛戀關係中，詩人鄭愁予以〈錯誤〉、〈情婦〉、〈客來小城〉等詩試圖與傳統進行對話。從現代的立場、觀點，殊異的性別視角，對於「離別」、「等候」等文學母題，進行演示。在「青石的街道」與「小城」、在「城樓倒影」、「落花雲絮」與

「候鳥」來歸，甚或「藍衫子」、「金線菊」的形像中，或者是「達達的馬蹄」與、「輕叩如鐘」的銅環聲響中……結撰成鮮明的詩詞意象。這無一不是前人詩語設境、造景等詩歌理論的具體實踐。是以本書選錄中國傳統詩詞理論的總結——王國維《人間詞話》中與「境界說」相關的文字，以彰示學子，現代詩歌是如何在涵浸、轉化的歷程中進行創造與新變，又如何回應一個宏大而綿長的抒寫傳統，並有所開展。於此，也提供學子們一個照鑒自我的激勵與期許。

而在散文文類中，我們挑選了張輝誠的〈蝸角〉，其回應的是中國悠久的「漢字」文化，在藝術世界中的涵融與淬瀝。其間巧妙錯落著《莊子》書中的雋永事典，在文中段叔叔沉穩的語調中，傳遞著真積力久的習藝之道，更透顯著浮海人世中處世智慧的深刻體會。在解牛庖丁的故實中，「恢恢乎其於游刃必有餘地」更恰落實著「因石置宜」、「自現風采」的篆刻之理。是以，所以言藝者，不也包蘊著深刻人生哲理的體會？所謂「技進乎道」、「藝可通神」，從漢字結構的理解一躍進入中國書藝的傳統，必須透過理論的指導與引介，是以本書選錄本校中文系已故教授王靜芝先生〈書法的立體觀〉一文以資參鑒。在靜公佐以前人書例，清晰的點評說明中，引領我們在點畫之間，體會御神而進的行氣之美。在線條結綴而成的世界裡，漢字流轉靈動、貞定穩妥的多元形態，在有限的點畫與線條裡，開展出無限的可能。

此外，在散文自然、流利的質地下，更是文人抒發現世觀照的首選文體。面對不同的人生課題，作家以其睿哲之眼、各展面貌情性的，留下許多雋永深刻的篇章。當臺灣逐漸邁入高齡化社會，「老」成了不可迴避的現實。簡媜〈老人詞典〉以自然生動的口吻，描繪「老」後的人生百態。篇章的命名，一新讀者耳目，在陳厚的「詞典」的枯索想像中，脫胎而出，在對比印象下形成新穎的感受。而在文章的形式中，更在以老人為中心所派生出的「詞條」裡，形塑出當代老人生活的不同情貌。在帶點詼諧、調侃的語調中，啓領我們思考面對未來「老」後的生活，應當如何自處？才會更加美好。而平路的〈服裝的性別辨證〉，則是透過服裝的發展沿革討論兩性之間的權力關係，反思性別定位的偏見。此文引領我們理解，「性別」意識是如何在生活的點滴中，潛移默化地形塑而成。這也提供我們在當今強調性別平等的社會中，如何以批判的視角、辯證的思考，建構嶄新的視野與觀點。

至於小說與戲劇，是最受讀者歡迎、也最繽紛多彩的文類了。其中「白蛇」傳說，列名中國四大民間故事。是歷來小說、戲劇演繹、改寫的重要素材。從唐傳奇以降，到宋元話本的〈西湖三塔記〉，發展到明人馮夢龍《警世通言．白娘子永鎮雷峰塔》，情節梗概至此寫定。而後還被改編成崑曲、京劇、粵劇等不同形式的地方戲曲。時至現代，更成為電影、電視劇、音樂、動畫……改編、闡釋的底本。在當代文學作品中，即有張曉風〈許士林的獨白〉、簡媜〈白蛇三疊〉、李碧華《青蛇》等作品問世。本書所挑選之〈許士林的獨白〉，即是接綴白蛇「合缽」之後的擬想續作。在張曉風飽蘸詩韻的文字裡，引領我們思索「命運」、「正義」、「愛情」、「親情」等課題。從「駐馬自聽」血脈相連的臍帶，牽繫著超越死生的永恆念想。在「認取」一節，則透過許士林的想像，拼湊起母親眉宇的氣度與輪廓。而在「湖」中，則思辨著人類只許自己求仙修道，卻不許萬物修為成人的荒謬原則。在「雨」中，共傘的片刻，卻足以傳誦千年。但人有悲歡離合、月有圓缺陰晴，在「聚」、「散」不定的境遇中，不正是人世的情緣嚒？而「合缽」一節，法海鎮住了白蛇的身體，但如暮春飛絮的深情，卻是禁制不住的。這微弱的反抗，也將存續在後代子嗣的骨血軀體中，永遠搏動。「祭塔」，則是回歸到最初親情的聯綴，曾經人母俯察胎動的喜悅，也將在納頭叩首的當口，世界也隨之驟然而動。

此外，日人芥川龍之介的〈杜子春〉，改寫自唐傳奇，內容雖同樣是成仙的考驗，卻帶給我們不同的省思。芥川龍之介想說的不是如何成仙的陳說，而是思索如何當一個「真實」的人。真實的人無法拋開六欲七情，就在「惟世間兮重別，謝主人兮依然。」的遲疑片刻，煥顯著人之所以為人的可貴靈光。至於，馮夢龍〈杜十娘怒沉百寶箱〉，則反映了古代女子追求自由與愛情的熱切心靈。杜十娘的剛烈形象，在女權意識抬頭的當今社會，也毫不遜色。然而，杜十娘的愛情悲劇，有無挽回的空間？百寶箱究竟能否改變杜十娘的命運？也成為後人思索、討論的話頭。一如香港導演杜國威，在其作品〈miss杜十娘〉中，即有全然不同的演繹。最後，蒲松齡的〈畫皮〉更是家喻戶曉的名作，電視、電影皆多有改編。文中討論世人囿於表象，分不清「麗人」與「妖」的界線，真假之間，更有「天道好還」的辯證。透過上述經典名著，配合後世小說、戲劇的改編與閱讀，更可看出古典作品是如何成為今人從事創作時所汲取的養分，這無疑是「轉化」與「創造」最具體的實踐！

張載〈西銘〉曾云：「為天地立心，為生民立命。為往聖繼絕學，為萬世開太平。」我們在浩瀚的宇宙時空之中，擔荷著繼聖興絕的重責大任。面對前人豐厚的文化遺產，該如何涵泳並創造、轉化，正是我們這一代人責無旁貸的神聖使命。

目次

敘事文類／小說、戲劇

單元四　新詮篇

單元五　古典篇

抒情文類／詩、散文

單元一　詩藝篇

單元二　書藝篇

單元三　翻轉篇

［單元一 詩藝篇］

錯誤、情婦、客來小城

鄭愁予

錯誤

我打江南走過
那等在季節裏的容顏如蓮花的開落

東風不來，三月的柳絮不飛
你底心如小小的寂寞的城
恰若青石的街道向晚
跫音不響，三月的春帷不揭
你底心是小小的窗扉緊掩

我達達的馬蹄是美麗的錯誤
我不是歸人，是個過客……

情婦

在一青石的小城，住著我的情婦
而我甚麼也不留給她
祇有一畦金線菊，和一個高高的窗口
或許，透一點長空的寂寥進來
或許……而金線菊是善等待的
我想，寂寥與等待，對婦人是好的。

所以，我去，總穿一襲藍衫子
我要她感覺，那是季節，或
候鳥的來臨
因我不是常常回家的那種人

客來小城

三月臨幸這小城，
春的飾物堆綴著……
悠悠的流水如帶：
在石橋下打著結子的，而且
牢繫著那舊城樓的倒影的，

三月的綠色如流水……。

客來小城，巷閭寂靜
客來門下，銅環的輕叩如鐘
滿天飄飛的雲絮與一階落花……

人間詞話・境界說

王國維

一

詞以境界爲最上。有境界則自成高格，自有名句。五代北宋之詞所以獨絕者在此。

二

有造境，有寫境，此理想與寫實二派之所由分。然二者頗難分別。因大詩人所造之境，必合乎自然，所寫之境，亦必鄰於理想故也。

三

有有我之境，有無我之境。「淚眼問花花不語，亂紅飛過鞦韆去。」[1]「可堪孤館閉春寒，杜鵑聲

[1] 宋・歐陽修〈蝶戀花・庭院深深深幾許〉
庭院深深深幾許。楊柳堆煙，簾幕無重數。玉勒雕鞍遊冶處，樓高不見章臺路。
雨橫風狂三月暮。門掩黃昏，無計留春住。淚眼問花花不語，亂紅飛過鞦韆去。

裡斜陽暮。」❷有我之境也。「採菊東籬下，悠然見南山。」❸「寒波澹澹起，白鳥悠悠下。」❹無我之境也。有我之境，以我觀物，故物我皆著我之色彩。無我之境，以物觀物，故不知何者爲我，何者爲物。古人爲詞，寫有我之境者爲多，然未始不能寫無我之境，此在豪傑之士能自樹立耳。

四

無我之境，人惟於靜中得之。有我之境，於由動之靜時得之。故一優美，一宏壯也。

❷宋．秦觀〈踏莎行．郴州旅舍〉

霧失樓臺，月迷津渡。桃源望斷無尋處。可堪孤館閉春寒，杜鵑聲裡斜陽暮。

驛寄梅花，魚傳尺素。砌成此恨無重數。郴江幸自繞郴山，為誰流下瀟湘去。

❸晉．陶淵明〈飲酒．其五〉

結廬在人境，而無車馬喧。問君何能爾？心遠地自偏。

採菊東籬下，悠然見南山。山氣日夕佳，飛鳥相與還。

此中有真意，欲辨已忘言。

❹金．元好問〈穎亭留別〉

故人重分攜，臨流駐歸駕。乾坤展清眺，萬景若相借。

北風三日雪，太素秉元化。九山鬱崢嶸，了不受陵跨。

寒波澹澹起，白鳥悠悠下。懷歸人自急，物態本閒暇。

壺觴負吟嘯，塵土足悲吒。回首亭中人，平林淡如畫。

五

自然中之物，互相限制。然其寫之於文學及美術中也，必遺其關係，限制之處。故雖寫實家，亦理想家也。又雖如何虛構之境，其材料必求之於自然，而其構造，亦必從自然之法則。故雖理想家，亦寫實家也。

六

境非獨謂景物也。喜怒哀樂，亦人心中之一境界。故能寫眞景物，眞感情者，謂之有境界。否則謂之無境界。

七

「紅杏枝頭春意鬧」❺，著一「鬧」字，而境界全出。「雲破月來花弄影」❻，著一「弄」字，而境界全出矣。

❺ 宋．宋祁〈玉樓春．東城漸覺風光好〉

東城漸覺風光好。縠皺波紋迎客棹。綠楊煙外曉寒輕，紅杏枝頭春意鬧。浮生長恨歡娛少。肯愛千金輕一笑？為君持酒勸斜陽，且向花間留晚照。

❻ 宋．張先〈天仙子．水調數聲持酒聽〉

水調數聲持酒聽。午醉醒來愁未醒。送春春去幾時回？臨晚鏡。傷流景。往事後期空記省。

沙上並禽池上瞑。雲破月來花弄影。重重簾幕密遮燈，風不定。人初靜。明日落紅應滿徑。

八　境界有大小，不以是而分優劣。「細雨魚兒出，微風燕子斜」❼何遽不若「落日照大旗，馬鳴風蕭蕭」❽。「寶簾閒掛小銀鉤」❾何遽不若「霧失樓台，月迷津渡」也。❿

九　嚴滄浪《詩話》謂：「盛唐諸人，唯在興趣。羚羊掛角，無跡可求。故其妙處，透澈玲瓏，不可湊泊。如空中之音、相中之色、水中之月、鏡中之象，言有盡而意無窮。」余謂：北宋以前之詞，亦復如是。然滄浪所謂興趣，阮亭所謂神韻，猶不過道其面目，不若鄙人拈出「境界」二字，為探其本也。

❼唐．杜甫〈水檻遣心二首．其一〉

去郭軒楹敞，無村眺望賒。澄江平少岸，幽樹晚多花。細雨魚兒出，微風燕子斜。城中十萬戶，此地兩三家。

❽唐．杜甫〈後出塞五首．其二〉

朝進東門營，暮上河陽橋。落日照大旗，馬鳴風蕭蕭。平沙列萬幕，部伍各見招。中天懸明月，令嚴夜寂寥。悲笳數聲動，壯士慘不驕。借問大將誰？恐是霍嫖姚。

❾宋．秦觀〈浣溪沙．漠漠輕寒上小樓〉

漠漠輕寒上小樓。曉陰無賴似窮秋。淡煙流水畫屏幽。自在飛花輕似夢，無邊絲雨細如愁。寶簾閒掛小銀鉤。

❿「霧失樓台，月迷津渡」語出宋．秦觀〈踏莎行．郴州旅舍〉，原文見註❷。

十五

詞至李後主而眼界始大，感慨遂深，遂變伶工之詞而爲士大夫之詞。周介存置諸溫韋之下，可爲顛倒黑白矣。「自是人生長恨水長東」[11]、「流水落花春去也，天上人間」[12]，《金荃》、《浣花》，能有此氣象耶？

二六

古今之成大事業、大學問者，必經過三種之境界：「昨夜西風凋碧樹。獨上高樓，望盡天涯路。」[13]此第一境也。「衣帶漸寬終不悔，爲伊消得人憔悴。」[14]此第二境也。「眾裡尋他千百度，驀

[11] 南唐·李煜〈相見歡·林花謝了春紅〉
林花謝了春紅。太匆匆。無奈朝來寒雨晚來風。
胭脂淚。相留醉。幾時重？自是人生長恨水長東。

[12] 南唐·李煜〈浪淘沙·簾外雨潺潺〉
簾外雨潺潺。春意闌珊。羅衾不耐五更寒。夢裏不知身是客，一晌貪歡。
獨自莫憑欄。無限江山。別時容易見時難。流水落花春去也，天上人間。

[13] 宋·晏殊〈蝶戀花檻菊愁煙蘭泣露〉
檻菊愁煙蘭泣露。羅幕輕寒，燕子雙飛去。明月不諳離恨苦。斜光到曉穿朱戶。
昨夜西風凋碧樹。獨上高樓，望盡天涯路。欲寄彩箋兼尺素。山長水闊知何處。

[14] 宋·柳永〈蝶戀花·佇倚危樓風細細〉
佇倚危樓風細細。望極春愁，黯黯生天際。草色煙光殘照裏。無言誰會憑欄意。
擬把疏狂圖一醉。對酒當歌，強樂還無味。衣帶漸寬終不悔。為伊消得人憔悴。

然回首，那人卻在，燈火闌珊處。」⑮此第三境也。此等語皆非大詞人不能道。然遽以此意解釋諸詞，恐爲晏、歐諸公所不許也。

二九

少游詞境最爲淒婉。至「可堪孤館閉春寒，杜鵑聲里斜陽暮。」⑯則變而淒厲矣。東坡賞其後二語，猶爲皮相。

三四

詞忌用替代字。美成〈解語花〉之「桂華流瓦」⑰，境界極妙。惜以「桂華」二字代「月」耳。夢窗以下，則用代字更多。其所以然者，非意不足，則語不妙也。蓋意足則不暇代，語妙則不必代。此少

---

⑮宋．辛棄疾〈青玉案．元夕〉

東風夜放花千樹。更吹落、星如雨。寶馬雕車香滿路。鳳簫聲動，玉壺光轉，一夜魚龍舞。
蛾兒雪柳黃金縷。笑語盈盈暗香去。眾裏尋他千百度。驀然回首，那人卻在，燈火闌珊處。

⑯「可堪孤館閉春寒，杜鵑聲里斜陽暮。」語出宋．秦觀〈踏莎行．郴州旅舍〉，原文見註❷。

⑰宋．周邦彥〈解語花．上元〉

風銷焰蠟，露浥烘爐，花市光相射。桂華流瓦。纖雲散，耿耿素娥欲下。衣裳淡雅。看楚女、纖腰一把。簫鼓喧，人影參差，滿路飄香麝。
因念都城放夜。望千門如晝，嬉笑遊冶。鈿車羅帕。相逢處，自有暗塵隨馬。年光是也。唯只見、舊情衰謝。清漏移，飛蓋歸來，從舞休歌罷。

游之「小樓連苑」、「繡轂雕鞍」⓲，所以爲東坡所譏也。

四二

古今詞人格調之高，無如白石。惜不於意境上用力，故覺無言外之味，弦外之響。終不能與於第一流之作者也。

四三

南宋詞人，白石有格而無情，劍南有氣而乏韻。其堪與北宋人頡頏者，唯一幼安耳。近人祖南宋而祧北宋，以南宋之詞可學，北宋不可學也。學南宋者，不祖白石，則祖夢窗，以白石、夢窗可學，幼安不可學也。學幼安者率祖其粗獷、滑稽，以其粗獷、滑稽處可學，佳處不可學也。幼安之佳處，在有性情，有境界。即以氣象論，亦有「橫素波、干青雲」⓳之概，寧後世齷齪小生所可擬耶？

⓲宋．秦觀〈水龍吟．小樓連苑橫空〉

小樓連苑橫空，下窺繡轂雕鞍驟。朱簾半捲，單衣初試，清明時候。破暖輕風，弄晴微雨，欲無還有。賣花聲過盡，斜陽院落，紅成陣、飛鴛甃。

玉佩丁東別後，悵佳期、參差難又。名繮利鎖，天還知道，和天也瘦。花下重門，柳邊深巷，不堪回首。念多情但有，當時皓月，向人依舊。

⓳語出南朝梁．蕭統〈陶淵明集序〉：「其文章不群，辭采精拔，跌宕昭彰，獨超眾類，抑揚爽朗，莫之與京。橫素波而傍流，干青雲而直上。」

五一

「明月照積雪」[20]、「大江流日夜」[21]、「中天懸明月」[22]、「長河落日圓」[23]，此種境界，可謂千古壯觀。求之於詞，唯納蘭容若塞上之作，如〈長相思〉之「夜深千帳燈」[24]，〈如夢令〉之「萬帳穹廬人醉，星影搖搖欲墜」[25]差近之。

[20] 南朝宋．謝靈運〈歲暮〉

殷憂不能寐，苦此夜難頹。明月照積雪，朔風勁且哀。運往無淹物，年逝覺已催。

[21] 南朝齊．謝朓〈暫使下都夜發新林至京邑贈西府同僚〉

大江流日夜，客心悲未央。徒念關山近，終知返路長。
秋河曙耿耿，寒渚夜蒼蒼。引領見京室，宮雉正相望。
金波麗鳷鵲，玉繩低建章。驅車鼎門外，思見昭丘陽。
馳暉不可接，何況隔兩鄉？風雲有鳥路，江漢限無梁。
常恐鷹隼擊，時菊委嚴霜。寄言罻羅者，寥廓已高翔。

[22] 「中天懸明月」語出杜甫〈後出塞五首．其二〉，原文見註❽。

[23] 唐．王維〈使至塞上〉

單車欲問邊，屬國過居延。徵蓬出漢塞，歸雁入胡天。
大漠孤煙直，長河落日圓。蕭關逢候騎，都護在燕然。

[24] 清．納蘭性德〈長相思．山一程〉

山一程，水一程，身向榆關那畔行，夜深千帳燈。
風一更，雪一更，聒碎鄉心夢不成，故園無此聲。

[25] 清．納蘭性德〈如夢令．萬帳穹廬人醉〉

萬帳穹廬人醉，星影搖搖欲墜，歸夢隔狼河，又被河聲攪碎。還睡、還睡。解道醒來無味。

六三

「枯藤老樹昏鴉。小橋流水平沙。古道西風瘦馬。夕陽西下。斷腸人在天涯。」此元人馬東籬〈天淨沙〉小令也。寥寥數語，深得唐人絕句妙境。有元一代詞家，皆不能辦此也。

附錄

人間詞話　節選

王國維

氣象論

十

太白純以氣象勝。「西風殘照，漢家陵闕。」寥寥八字，遂關千古登臨之口。後世唯范文正之〈漁家傲〉，夏英公之〈喜遷鶯〉，差足繼武，然氣象已不逮矣。

三十

「風雨如晦，雞犬不已」、「山峻高以蔽日兮，下幽晦以多雨。霰雪紛其無垠兮，雲霏霏而承宇」、「樹樹皆秋色，山山唯落暉」、「可堪孤館閉春寒，杜鵑聲里斜陽暮」氣象皆相似。

三一

昭明太子稱：陶淵明詩「跌宕昭彰，獨超眾類。抑揚爽朗，莫之與京。」王無功稱：薛收賦「韻趣高奇，詞義晦遠。嵯峨蕭瑟，眞不可言。」詞中惜少此二種氣象，前者唯東坡，後者唯白石，略得一二耳。

三九

白石寫景之作，如「二十四橋仍在，波心蕩、冷月無聲」、「數峰清苦，商略黃昏雨」、「高樹晚蟬，說西風消息」雖格韻高絕，然如霧裡看花，終隔一層。梅溪、夢窗諸家寫景之病，皆在一「隔」字。北宋風流，渡江遂絕。抑眞有運會存乎其間耶？

隔與不隔

四十

問「隔」與「不隔」之別，曰：陶謝之詩不隔，延年則稍隔已。東坡之詩不隔，山谷則稍隔矣。「池塘生春草」、「空梁落燕泥」等二句，妙處唯在不隔，詞亦如是。即以一人一詞論，如歐陽公〈少年游〉詠春草上半闋云：「闌干十二獨憑春，晴碧遠連雲。二月三月，千里萬里，行色苦愁人。」語語都在目前，便是不隔。至云：「謝家池上，江淹浦畔」則隔矣。白石〈翠樓吟〉：「此地。宜有詞仙，擁素雲黃鶴，與君遊戲。玉梯凝望久，嘆芳草、萋萋千里。」便是不隔。至「酒祓清愁，花消英氣」則隔矣。然南宋詞雖不隔處，比之前人，自有淺深厚薄之別。

論家數

五六

大家之作，其言情也必沁人心脾，其寫景也必豁人耳目。其辭脫口而出，無矯揉妝束之態。以其所見者眞，所知者深也。詩詞皆然。持此以衡古今之作者，可無大誤也。

〔單元二 書藝篇〕

蝸角

張輝誠

我爸常說：「能同你段叔叔學篆刻，算你上輩子造化！」

我十歲上開始學書法，啟蒙老師是父親。他老人家教書法，剛提筆就得練懸腕，搦一管羊毫筆在宣紙上反覆劃寫等粗直線、曲線和圓圈，這是給開筆寫篆書、隸書預作準備的。無視我麻顫不已的手臂，父親斜睨著歪七扭八、大小不一的線條邊搖頭邊說道：「基礎沒打好，寫什麼都是空的。要知道，你段叔叔小時候吃多少苦，才能有今天這般局面。」

段叔叔能有什麼局面？不就整天穿著一襲深藍長袍，捻著長鬍，笑嘻嘻地在社區裡頭閒蕩嘛？

六七年過了，我爸教會我囫圇吞棗篆隸草行楷各式書體，依樣畫葫蘆，寫得有模有樣，人人稱讚，他老人家頗爲得意，才敢把我推薦給段叔叔。至於功力如何，套句段叔叔後來給我的評價：「縱橫正有凌雲筆，俯仰隨人亦可憐。」這話說得含蓄，話裡褒貶參半，褒的是我小小年紀就有翰墨志向（段叔叔誤會了，這是我爸逼的），貶的是徒有形似罷了。

段叔叔跟我爸不同，他也不叫拿刀，就在房裡給我講故事，講上一段便打發我到附近的故宮去看書法展品。故宮院長和段叔叔是相熟的，我每回去都佩帶貴賓證，還有專人講解，想偷懶都不行。後來段叔叔問我最喜歡哪幅？我答說蘇東坡〈寒食帖〉。他問爲什麼？我說寫得那麼醜都還能進故宮，我看我以後機會蠻大的。段叔叔追問難道沒人給我講解？我說講是講了，還不因爲他是蘇東坡，要換成別人還能這樣推崇嗎？段叔叔登時笑咧了嘴，直呼「後生可畏！後生可畏！」

段叔叔其實蠻會講故事的。有陣子我正在讀《小人國歷險記》，他也講了一個類似的：說蝸牛角上兩根長鬚，裡面各有一個國家，左邊的叫觸氏，右邊的叫蠻氏，兩國經常爲了爭地而大動干戈，鬧得不可開交。我聽得入神，段叔叔話鋒一轉，說道：「學篆刻，也要能小中見大，大中見小才行。」

段叔叔有個常用章，印文是「刀筆吏」。這話一點不誇張，段叔叔和別人不同，他寫日記是用刻印載事，比如說當天心情愉快，他就刻一方「暫得於己快然自足」；某些時日湧起鄉愁，就刻幾枚「舊江山渾是新愁」、「春愁如雪不能消」；閒來讀書，就鍥若干「讀書但觀大意」、「肚裡曾藏八千卷」；往陽明山遊山玩水回來後，便窾刻幾枚「獨於山水不能廉」、「自嫌野性與人疏」；當然，更多印是談刻鍥心得的，比如說「筆圓如錐」、「奪造化靈氣」、「刻劃始信天有工」等等。不過這些印，一旦我在《刀筆吏印譜》用完印，段嬸嬸便立刻接收拿去轉賣換錢。

段叔叔刻印極快，他能左右開弓，右手寫書法，左手刻印。別人篆刻是先描印框，在紙上寫印文然後反貼印面，呈現倒反書體再下手開刻。他身手俐落多了，右手拾起石頭，端詳了一下印面，底稿也不打，左手直接取刀刻劃，一時間刀走龍蛇，山崩雲亂，驚濤裂岸，氣象森嚴。起筆收勢，轉折鉤劃，如行雲流水，行於所當行，止於所不可不止，各自恰到好處。那刻劃好的石頭好似甦醒過來一般，睜起水汪汪的眼睛逕在石臉上好奇地探望，顰笑之間逐漸有了千姿百態。

我爸後來得知我同段叔叔一年多，居然沒刻過半顆印，大爲光火，怒斥道：「你要曉得，你段叔叔是不收弟子的，多少人千託萬請、程門立雪，哪一回他不婉拒到底？要不看在你大陸上的爺爺，曾救活過你段叔叔父親的面上，你小子哪來這等福分？再說你段叔叔從小就是金石世家子弟，家學淵源，書藝精湛，清初乾嘉學派寫《說文解字注》的段玉裁，你是曉得的，那是你段叔叔的上六代祖先啊！這等因緣，居然給你這小子辜負了。」

我把父親的話轉述給段叔叔聽，他笑我爸性子太躁，欲益反損。於是他又給我講了個故事。說南方有位帝王叫儵，北方帝王叫忽，中央也有個帝王叫渾沌，儵和忽兩位帝王作客於渾沌之所，渾沌招待周到，賓主盡歡。兩帝圖思報答，便說：「凡人都有眼耳鼻口七竅用以視聽食息，唯獨渾沌兒沒有，請讓我們試著幫你鑿開七竅吧。」於是每天幫渾沌鑿通一竅，好不容易七天鑿完，誰知七竅鑿成，渾沌竟一命嗚呼。段叔叔見我沒領悟過來，接著又說：「篆刻過程不也像爲渾沌鑿竅嗎？大多印家注重筆劃講究，眉目清楚，看似鑿成七竅，實則喪盡元神。好的篆刻，必須就渾沌而渾沌，順石性而保其情，看似已鑿而實未鑿，鍥出的印文只是把石性石情顯揚出來而已，而不是斲傷。」段叔叔說完後，便從身旁拿起一枚圓石，逕自刻劃起來，刻完後交給我，說：「送你！回去交差。」我喜孜孜的端詳著上頭的印文，小篆白筆，寫著「篆愁君」，大概是說我爲篆刻而愁的心事。

我爸把印握在手心來回摩挲，笑得合不攏嘴，直說：「傻人傻福，居然給你得了一枚好印，這『篆愁君』端得渾然天成，無懈可擊。」父親另一手翻開桌上擱放的《南張北溥書畫集》，繼續說道：「你看，這張大千畫裡的用印『大千居士』和溥儒的閒章『乾坤一腐儒』，都是託你段叔叔刻的，好生氣派，常人是刻不來的。好畫配好印，相得益彰。」

等我真正刻第一枚印已是三年後的事。期間段叔叔不曉得給我講過多少故事，最後都和篆刻道理有所相關。比如說，開刻當天，我正瞪大著眼盯著一顆石頭猛瞧，腦海直響起父親的聲音：「有一種石頭，渾身溫潤透明，勻佈血絲，光彩映人，乃石中豪傑，叫做雞血石。」段叔叔看出我的心思，拿起雞血石說道：「石頭與人一般，並無貴賤之分，只有剛柔之別。剛石如狂者，宜用尖刀使之含柔；軟石如狷者，宜取鈍刀使之能堅。因石制宜，要皆展現各自風采面貌而已。」然後他就取刀在雞血石腰身刻了幾個字：「落筆灑篆文，崩雲使人驚。」要我也拿一顆來試試。

我下刀時光想反書便遲疑許久，刻成的印文粗細不一，還有好幾處崩筆，段叔叔在一旁指導說：

「石情神氣最重要，崩就崩，山崩亂雲，原是石頭本色，犯不著介意。」

我同段叔叔學印第五年，他眼力漸退，終至全盲。段嬸見不濟事，便離家出走，再沒回來過，還是我爸僱了個菲傭才照料好他日常起居。

我爸嘆息著說：「好端端一個人，這樣用眼過度，後半輩子就報銷了。」

可只有我知道，段叔叔還能刻，他吩咐我不要張揚，說：「這樣反倒省事。」如今他刻印不似往常神速，顯得淡泊許多。還是左手持刀，右手握印，只是食指會不斷撫摸印面，確定鍥刻位置，才一刀刀刻劃。就在這個時候他又給我講了個故事，說有個叫庖丁的廚師，十九年來，解牛不下數千頭，刀刃卻始終毫髮無傷，彷彿剛新磨好似的。段叔叔停下來問我爲什麼？我知道一定又和篆刻道理有關，想了想，便答說：因爲他知道牛的骨骸結構。段叔叔開心地說：「對！庖丁以薄刃優游關節裡的空隙，所以能刀刃無傷。更重要的是熟練精巧之後，可用神遇而不以目視，所有感官退居其次，全讓精神展現。所以，你段叔叔我啊！目盲心明，越來越能體會石頭的喜怒哀樂、滄桑變化，越來越能和石頭渾然合一，也就越能把石頭的性情刻出來。」又說：「印有陰陽，朱文爲陽，白筆爲陰；目也有陰陽，明爲陽，盲爲陰。當然，生命也是有陰陽的。」

後來有一天，菲傭焦急地跑來找我爸，說段叔叔喚不醒了。那時我正在金門當兵，聽父親說段叔叔臨終時，手裡頭還緊握著一顆印，上頭刻著：「終生與石爲伍」。

那陣子，我正巧在金防部軍事圖書館當差，意外翻到一本清朝善本書《事物異名錄》，裡頭「昆蟲類，蝸」一條這樣記載：「《清異錄》：『李善寧之子貧，家壁詩末云：「拖涎來藻飾，惟有篆愁君。」我才恍然段叔叔刻送給我的「篆愁君」，指的是「蝸牛」而不是爲篆刻而愁的我，而這蝸牛不就是他給我講的蠻觸兩國的故事嗎？這時我忽然聯想起白居易的〈對酒〉詩來：「蝸牛角上爭何事，石火光中寄此身，隨富隨貧且歡樂，不開口笑是癡人。」然後，段叔叔彷彿又活過來似的，拿著一把刀，一枚印章在我身旁開懷地笑出聲來。

書法的立體觀

王靜芝

壹、引言

書法是將字寫在平面上成爲畫面的藝術。這種藝術就其形體來說，自然是平面的。但就其本質來說，書法與繪畫應有相似的本質。繪畫在表現物像時，在平面上要表現出立體感，書法雖僅是線條組成的文字，並不表現物像，卻也有其立體表現，而且此立體表現又正是書法中極重要而絕不可失去的部分。

在此用立體感一辭，可能是以往論書法時很少用的。但事實上前人所論用筆、用墨、情性、點畫、使轉、方圓、筆鋒等等說法，其所欲達成的目的，都是成就書法之美的。而書法之美，立體感是最重要的部分，前人其實深知，不過在其說法中未用過立體感一辭而已。大率前人論書，多甚高深，精微玄奧，都能成一家言，初學者或難領悟。本文所言，但求淺近，故用立體感一辭，試以說明書法之美。這祇是書法之初步，全無高論，大雅教之。

貳、立體感的產生

書法是平面藝術，繪畫也是平面藝術。但繪畫是眾所周知的需要在平面上表現其立體的物像；而書法原本是寫出文字，也就是畫出符號，並非物像，最初實談不到立體感，僅僅是字形而已。但是因爲中國文字本身就是每一字即一圖畫。由於圖畫之美，故而自然形成其藝術性。後來又發明了寫字用的特殊工具——毛筆，因而更使書法成爲一種特有的藝術。書寫文字成爲一種藝術，是其他國家都沒有的。在此我強調用毛筆書寫，書法乃成爲藝術，就是因爲用毛筆書寫文字以後，書法產生了許多美感，而最主要的是立體感。

書法的立體感，並不像繪畫那樣的顯然可見。因爲寫出來的字，並沒有具體的物像。雖然中國文字有象形字，但不是刻畫畢肖的物像，而是簡易的或象徵的。假如我們請一位不識中國字的外國人來看，中國字只是許多黑線條組成多種形狀不同的圖形，不具任何物像。中國文字的結體，只是縱橫欹斜的線條穿插而成。就書寫而要求表現美感來說，是抽象的，它的美感要靠本身的圖形結構，更重要的是線條筆畫的表現。書法是要用美的筆畫，表現出美的線條、美的結構，使不具物像的文字符號，成爲有立體感的抽象畫。這種沒有物象、沒有色彩，只有黑線條的組織，竟能產生無限的美感，是由於書寫的人，運用高超的技巧，使用奇妙的書寫工具「毛筆」。毛筆經書法家智慧的運用，創造了書法的立體感，使書法成爲一種特殊高超的藝術。

毛筆所以有以上所說的功能，主要就是它是一有彈性的圓錐體。毛筆的尖端是尖銳的，而根部逐漸粗大，乃用獸毛紮束製成，具彈性且可屈曲而復伸；本身有微管作用，能蓄容墨汁，又能放注墨汁。毛筆的形狀、功能本已眾所周知，但在此重述一遍，是爲了要特別說明，由於毛筆的特質，才造成中國書法的獨特之美，其最重要的特性是有彈性，可屈而復伸。因此在筆尖落紙的時候，所成的筆畫是細的；按筆使屈的時候，筆畫就變成粗的。筆畫的粗細，端看用筆的屈伸。屈則粗，伸則細。屈，就是將筆下按；伸，就是將筆上提。這屈伸之間，便造成字的筆畫或粗或細的無窮變化，於是乃產生了立體感，而使書法不止於平面的圖形。

許多人只發現了書法是美的，並沒有注意到它的立體感。當然也就沒發現書法的美和立體感有極大的不可分性。首先，先說明立體和平面的分別。所謂平面，就是長乘寬而成的面積；而立體，是長乘寬，再乘高的體積。所以只有長乘寬的面，便是平面；長乘寬又乘高，便成立體。在平面的繪畫藝術上，畫面只是長乘寬，而畫中所表現的物象，看來有立體感，乃因所表現的是物之假像，有體積感。而書法不表現物像，卻也有立體感，是因爲用毛筆所書寫出來的字，是長乘寬再乘高，有三度的立體感覺。文字是寫在平面上的線條組成，應該是長乘寬的平面。但自從有了毛筆之後，毛筆的用途，不僅是展現平面的縱橫欹斜之美，更能提高、按下，使伸使屈，而造成第三度空間，換言之，長度、寬度，縱橫造成的是平面，而毛筆的能按下與提高，便是在縱橫之外的另一個動作方向。這一動作方向和平面是垂直的，也就是「高」度，於是造成了長乘寬及乘高的立體。

這裡所說的立體只是一種感受。自然沒有體積，也不會像繪畫那樣有物像的立體感，而只是一種平面表現之外的突出感覺；三度空間的視覺表現。

參、立體感的形態

書法立體感的形態，人人都早已見到。但因書法的形態不是物像，所以會只見其美而忽略了爲甚麼美，並未發現那是一種立體感的作用。

書法的立體實質表現在字的每一點、每一畫之間，也在每一字之間、每一行之間、每一幅之間。茲依次分別說明於後：

一、點畫之間

字是由點畫組成的，點畫的表現自然是作字的基本條件，所以習書法的人，無不注意點畫的美。但是點畫如何造成美呢？那就要會用筆。米元章在「群玉堂帖」中，自述他學書法的經過，開始第一句就寫道：「學書貴弄翰。」可見用筆的重要。而所謂會用筆，當然就是把點畫寫好。而把點畫寫好，其中就包括著立體感。

把點畫寫好，當然是求美。美的條件是要有美的姿態。要點畫有美的姿態，當然不是呆板平直的。所以，如果不用能屈伸的毛筆，而用只能畫出等粗線條的硬筆，那所寫出的點畫就只能一般粗細，成爲沒有變化，沒有美的姿態的線條。於是那些字只能表現出字的結構形體，而缺少點畫之美。比如次頁這兩幅字，一幅是唐朝褚遂良的作品，是用毛筆寫的。一幅是同樣的文字，而用硬筆描摹成的。相較之下，用毛筆寫的字，每一點一畫，都有它的美感。而用硬筆寫的，只能用一般粗細的線條組成字而已。

（圖1爲唐褚遂良書「兒寬贊」墨跡複印部分，原跡藏故宮博物院。此幅可看出毛筆書寫每一點畫

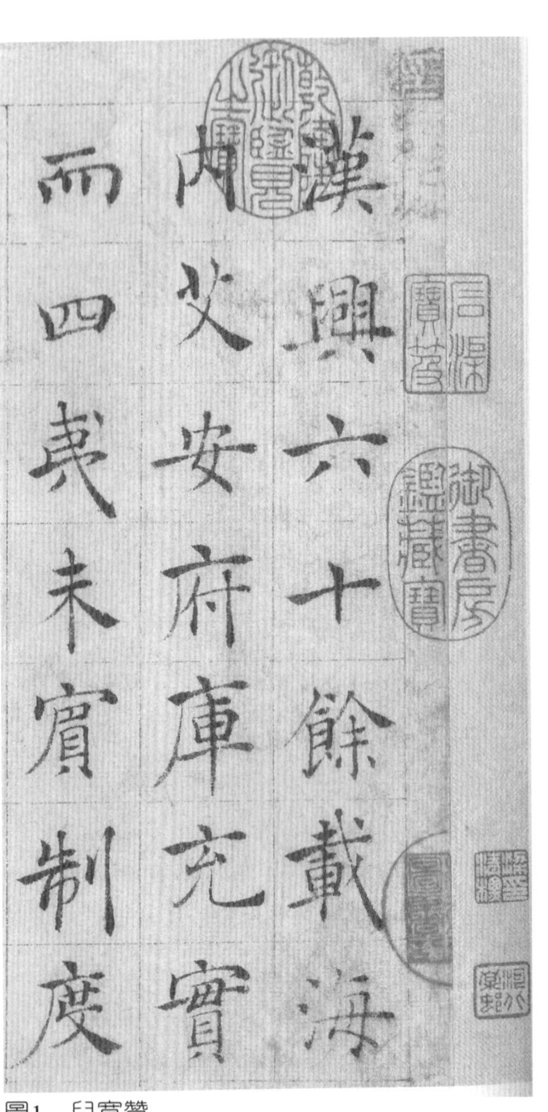

圖1　兒寬贊

之動作，其按提使粗使細轉動之變化，均能造成美感，可體會其立體筆勢，高下之彈性。）

（圖2係描摹上幅褚遂良「兒寬贊」，惟用硬筆，故所能表現者，差別極大。與前幅相較，除文字相同外，雖字體結構一樣，而幾乎毫無美感。實因硬筆之點畫不能表現美的姿態，即無毛筆之按提高下動作之故。高下動作乃立體感之造成，亦即美感之造成的重要部分。）

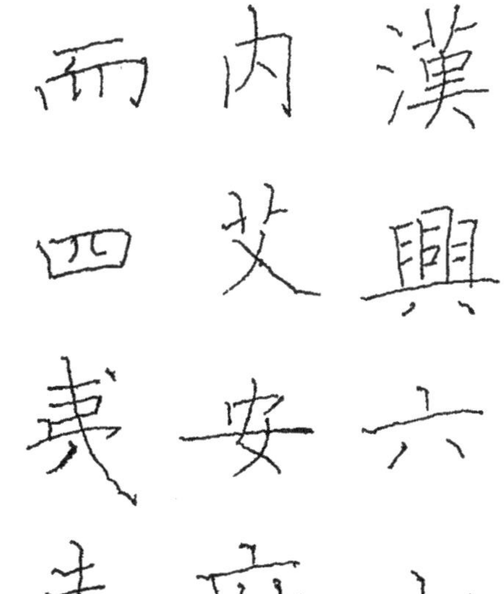

漢興六十餘載海
内艾安府庫充實
而四夷未賓制度

圖2　兒寬贊，此圖用硬筆在原跡上描下，結體全同而意味迥異，衹因筆不能提按故也。

經由這兩幅字的比較，我們會發現，用毛筆寫的字，其所以點畫有美感，是因爲毛筆有彈性，能下按上提，使點畫產生無窮變化：有細、有粗、有鋭、有鈍、有圓、有方、有剛、有柔、有靈妙的鋒芒轉折，有圓融的迴宛輕揚。在每一點畫之間，都有其自己的畫面，有其自己的姿態。而在其畫面之中，更展露其筆毫落紙下壓按提的彈力，揮舞的動態，收筆的神情，都顯現紙上，幾乎要跳躍而出。和硬筆寫成的一幅相對照，那硬筆寫成的字，平板僵直，細弱無力，顯然與毛筆所書有天壤之別。比較下來，便可以了解毛筆所寫的點畫有三度的立體感了。

討論至此，可以知道：點畫的美感是出於毛筆的運用。而運用的妙處，除縱橫揮動之外，主要在按下和提上之間的彈性表現。我們分析毛筆在作字時的動作，可以發現，每一點畫，至少有三個動作。第一動作是落筆時要將毛筆下按，使毛筆的筆尖屈曲，筆毛乃平鋪在紙上。緊隨著第二個動作便是筆要移動。移動的方向當然是看字形的需要，或橫或豎，或點或撇。第三個動作就是完成這一點畫的動作，需要一住而隨之提起。凡是一個點畫，無論長短，都至少需這三個動作。甚至只是一個點，仍然如此。絕不可只將筆點在紙上一下，就以為完成了。假如只用一個動作完成一個點，那一點必然是死板的呆點，只是一個字的結構上的點，而不是書法藝術上所需要的點。書法藝術上所需要的點畫，永遠是動態的，是活的，是有情性的，有生命的，最重要的是立體的。

二、一字之間

一字的整體是點畫組成的，但如何組成？卻不是只有點畫就成的。因點畫是字體的零件，而字體要組成整體。字的整體，就不是點畫的單獨存在，而是有許多屈折穿插才組成的，故而字體的組成，就不是單純的點畫，而是屈折轉動，穿插迴運的點畫。唐人孫過庭在他作的「書譜」中說：「真以點畫為形質，使轉為情性，草以點畫為情性，使轉為形質。」這兩句話極中肯綮。

真書今通稱楷書，是學書的人必先書寫研習的字體。真書一點一畫，排列分明，組成字形，所以真書的形體，主要在點畫的安排組合。點畫的位置穿插都對了，事實上，就算完成了一個字。但在書法上看，那只是一個可認識的字，而不是書法藝術上要求的字。在書法藝術要求的是：每一個字的每一點畫，都在美的、動的、有生命的藝術要求之中。假如每個字只有死板的筆畫組合，那就是印板字而已，自與藝術有別。

按孫過庭的說法，眞書以點畫爲形質，那就是寫眞書的時候，寫出一點一畫，組成眞書的形體。但這並沒有完成，更需要的是以「使轉爲情性」。所謂情性，也就是美的、動的、有生命的；也就是藝術的。「使轉」要「爲情性」，因此使轉就太重要了。使轉是甚麼呢？就是筆的運用。

筆的運用所以稱爲使轉，是因爲筆在紙上書寫之時，並不是單一個方向，而是時時轉向。如橫轉豎，豎轉橫，橫豎都會成爲轉、鉤、挑等的曲折。即使橫豎不轉，也未必一定平直，而多有彎曲、粗細、頓挫種種變化。凡此種種，都是要靠筆的運用，大體在平面動作是縱橫欹斜鉤挑，而起筆落紙必須下按，隨之或橫或豎，或撇或捺，任何移動，都需按提。如果有筆轉向，如寫一「口」字，第二筆橫而轉豎，就必須在橫的止處先提，使筆毫彈起，然後再按，使筆毫轉換，成爲向豎的方向，然後再拉到豎的止處，再住筆提起，才完成了這一畫。換言之，筆一落在紙上，就一直在按、移、提、轉，不停的揮運，其目的就是需使每一點畫，都能在筆的運用之中，得到適當的轉動順暢，而書成藝術化的字。

先師吳興沈尹默先生，作「執筆五字法」，有云：「用筆之要，首在按提。提按得宜，性情乃見，所成點畫，自有意致。按提二者，可分而不可分！隨按隨提；亦提亦按。若離紙，若不離紙；處處有按提，即處處得轉換。能隨意轉換，筆毫自不扭戾，而鋒斯中矣。」這一段話，如仔細體味，便可知使轉二字的深義了。

至於草書，正與眞書相反。孫過庭說：「草以點畫爲情性，使轉爲形質。」草書所以如此，因草書轉折特別多，而平直的筆畫少，而且在轉折之處也與眞書的轉折不同。草書的字，主要以轉折迴環的筆畫組成，寫來處處需使轉，所以說以使轉爲形質。使轉既爲形質，點畫便在使轉之間表現其筆墨運用的情趣。在每點畫，一起一落、一入一出、一揮一抹之間，流露情性，所以說以點畫爲情性。至於行書則盡取眞書和草書的各種表現方法，或從眞而帶草，或從草而帶眞，或眞草相融，或眞草相雜，極盡其變化之能事，而兼取眞草點畫使轉形質情性表現之美。

眞、行、草，無論那一種字體，每一字都自有其獨立的體形，每一個字都是由用毛筆作出的點畫使轉所組成，而使轉點畫也表現情性。點畫使轉，既產生其立體感，其所寫成的字當然有其立體感。繪畫是物像的立體感，而書法是有其「意象」的立體感。運用毛筆的縱橫加高下按提動作所造成的書法，是書法家的智慧、精神、修養的注入；乃因字的體勢，表露其意像。書法家所要求的字的意像是有筋、有骨、有血、有肉；有力量，有體魄、有剛、有柔、有飄動、有沈重、有精神、有氣勢；有飛舞之態、有丘山之安；有若林花之燦，有若明星之耀。善書之士，所能者眾美畢臻。而所以能如此，實由於毛筆在紙上的三度動作，或縱或橫，或撇或捺，在筆毫使轉按提之下，使點畫粗細方圓、頓挫行止、迴轉續絕、有餘不盡。終教一字之成，姿容絕美，意態惹情，或如人立，或如獸奔，或如龍飛，或如鳳舞。或山容水態、花鳥蟲魚，經筆墨之寫，都生動隱現，意像鮮明。這一切美的表現，都是一支毛筆的使轉提按，立體感運用才能造成的。

下面我們用晉朝王羲之行書（圖3）及隋釋智永眞、草「千字文」（圖4）的對照關係作示範，來看看點畫使轉，形質情性間之表現。

三、一行之間

書法要求每一點畫的美，要求每一字的美，而更要求「行氣」之美。行，是多個字連成行列而成的。中國字是以從上到下的直行爲常態。偶有匾額橫書，大都爲二至四字，少有許多字橫行，故在此言行氣，只限直行。

所謂行氣，就是在寫成一行字之間，如何安排字與字之間的表現。我們也可以說，一個字是若干點畫組成的美的畫，而一行字則是若干字排列而成的長行畫面。因此這若干的字如何排列，便是該用心的了。假如我們將若干個字排列得整齊直正，成爲一行，不能說不好，但不是書法藝術所要求的美。書

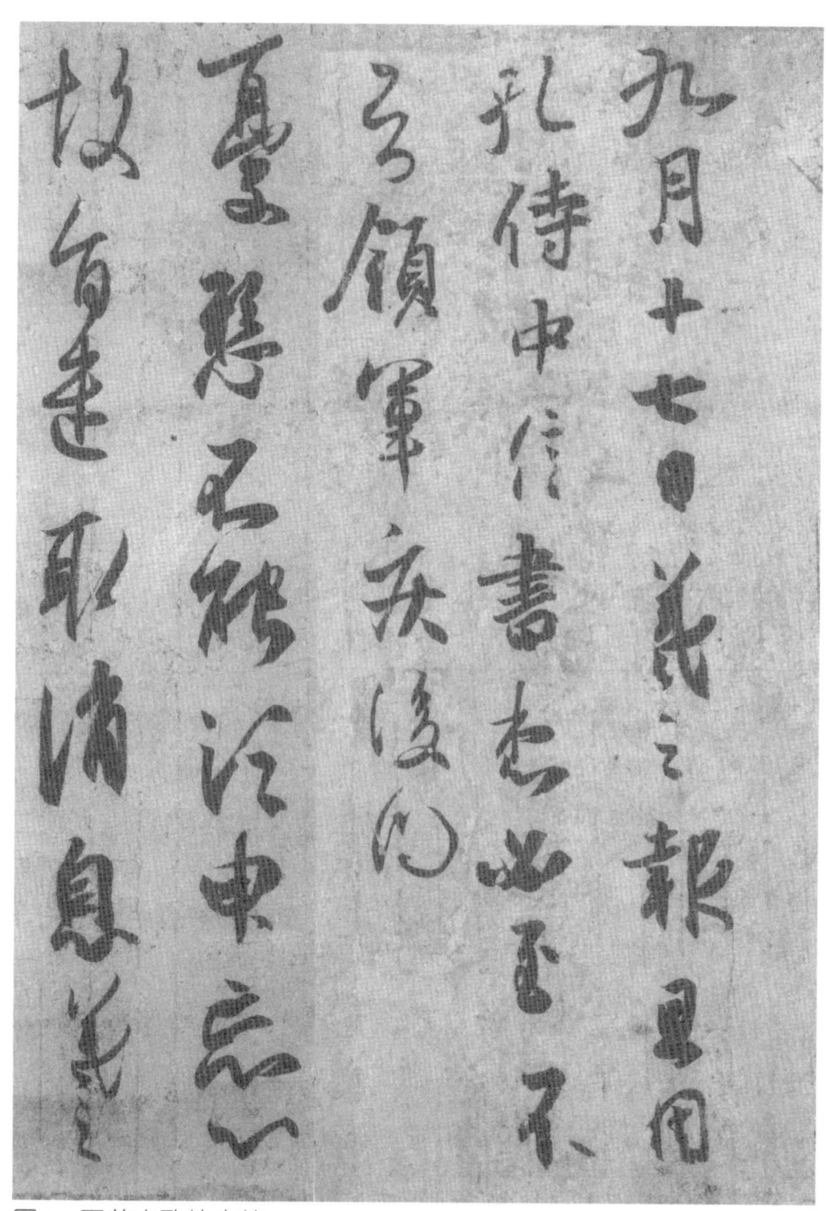
九月十七日羲之報且因
孔侍中信書想必至不
知領軍疾後問
憂懸不能須臾忘心
故旨遣取消息羲之

圖3　王羲之孔侍中帖

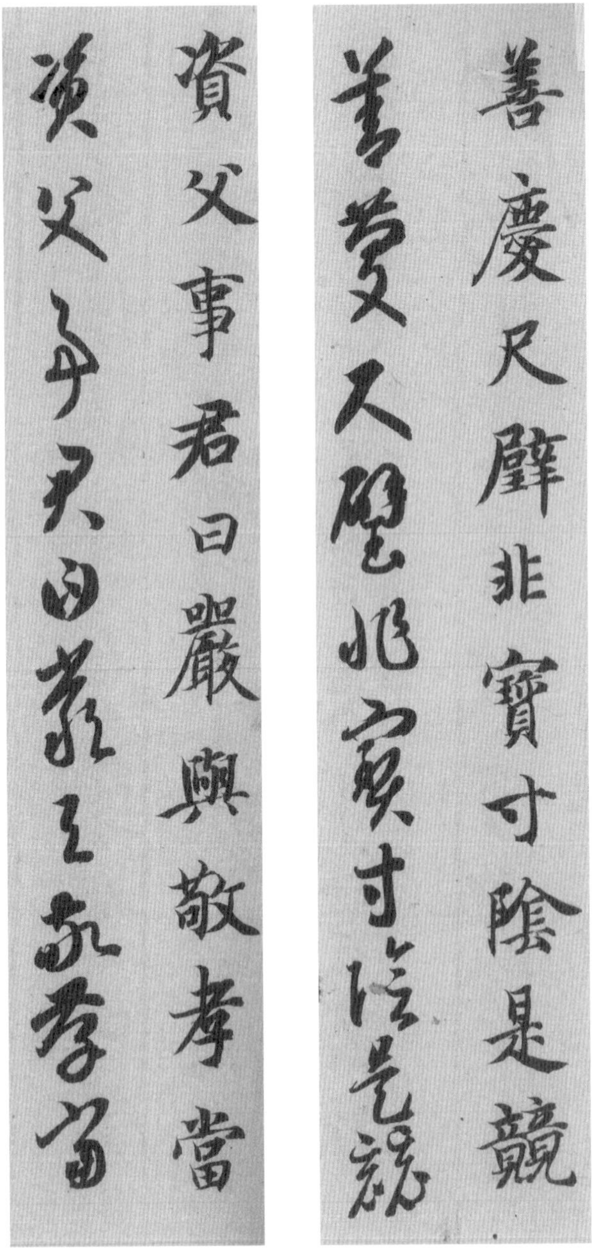

善慶尺璧非寶寸陰是競

資父事君曰嚴與敬孝當

圖4　智永真草千字文

法藝術的每一行字都要有其變化之美。這種變化就是要每個字的大小粗細都經過用意，而使其有參差錯落，濃重輕盈之各態，予人千姿萬象的感受。這種行間的變化，在行書和草書之間非常顯著；即使在楷書之間也是如此，不過不如行草的鮮明而已。這種行氣的安排，使一行字有重處、有輕處、有突顯處、有微淡處。於是使一行字不僅每字各有其美，也另產生了「行」的組成之美，會突破一行的平直之感，而呈現立體之感。

這些可以從歷代書法眞跡，例如唐人寫經眞書（圖5）、六朝人寫經眞書（圖6）、唐朝孫過庭草

言之无量无邊未曾有法佛悉成就止舍利
弗不須復說所以者何佛所成就第一希有
難解之法唯佛與佛乃能究盡諸法實相所
謂諸法如是相如是性如是體如是力如是
作如是因如是緣如是果如是報如是本末
究竟等尒時世尊欲重宣此義而說偈言
世雄不可量　諸天及世人　一切衆生類　无能知佛者
佛力无所畏　解脫諸三昧　及佛諸餘法　无能測量者

圖5　唐人寫經真書

圖6　六朝寫經真書

書「書譜」（圖7）以及宋代米芾行書「蜀素帖」中得到啟示。

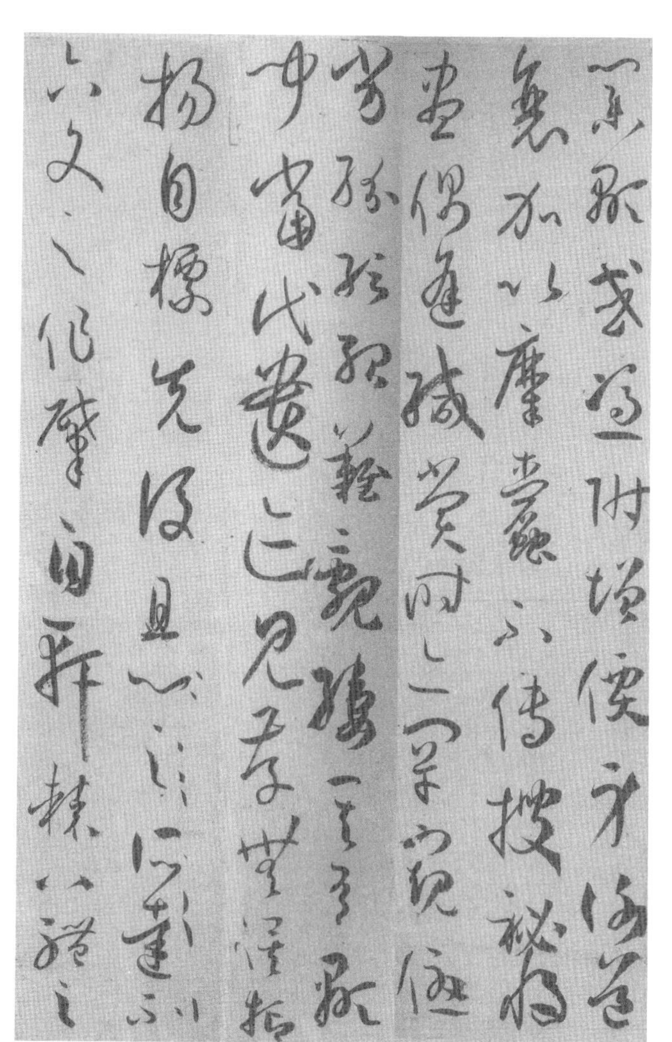

圖7　唐朝孫過庭草書書譜

四、一幅之間

一幅是多行字排列在一個面上而成一個整的畫面。或也有一行字，甚至一個字就成一幅的，那屬少數。通常的一幅是指多行排列而成的一幅。

一幅的組成，除了每字每行的美的要求以外，還要求多行的排列之美和成為一幅的整體之美。首先是行的排列，行與行之間的距離要遠近適當。遠近的標準並沒有規定，要全憑書家自己的安排，視字的大小粗細，字體的宜密宜疏，而自定距離。其所要求的當然就是美。行與行的距離，對書幅之美關係很大，太遠則白太多，太近則白太少。白是襯出黑字的重要部分。白多白少，使黑的字的表現，感受不同。留白留得合適，看起來就感到黑字突出，展露出應有之美。留白不適合，則字的美感會被減損。

又，每行的字，與前一行的字，後一行的每字，都需配合。不可把粗重的字都聚在一堆，也不可聚成橫線。同理，也不可把細小的字聚在一堆，或顯然成一平線。字在一行中，有自成其美的安排，但數行相並排列，就必須作橫的關係的美化用意，而使有一全面的美。不要平板，不要太勻，不要造作，不要拘滯。整幅看來，有重有輕，有聚有散，天眞瀟灑，如落英繽紛，林花爛漫，或如龍蛇騰擲，飛動欲舞。

右軍「蘭亭」冠絕千古。茲取數行於後以供欣賞體會。加以右軍草書一幅，並供參考：

（圖8王羲之行書「蘭亭」序馮承素摹本一部分。馮本又稱神龍半印本，因其卷首有「神龍」印祇留一半。此本為今傳世最佳本。故宮博物院藏，有複印本，在蘭亭八柱中）

（圖9王羲之草書「三月帖」墨跡，此帖較少見，筆勢飛動，墨跡之可貴，於斯可見）

肆、結論

書法是中國的獨特藝術：是一種平面的抽象藝術；是一種沒有彩色，只有黑白對比表現的藝術；是一種只用線條，縱橫欹斜，穿插鉤挑，迴轉點畫而不用物像便造成美的畫面的藝術。它抽象而單純，但是有無限的美：它有直立的構形，而產生挺立的姿態；它因點畫使轉的動作變化，而有跳躍、飛動、馳

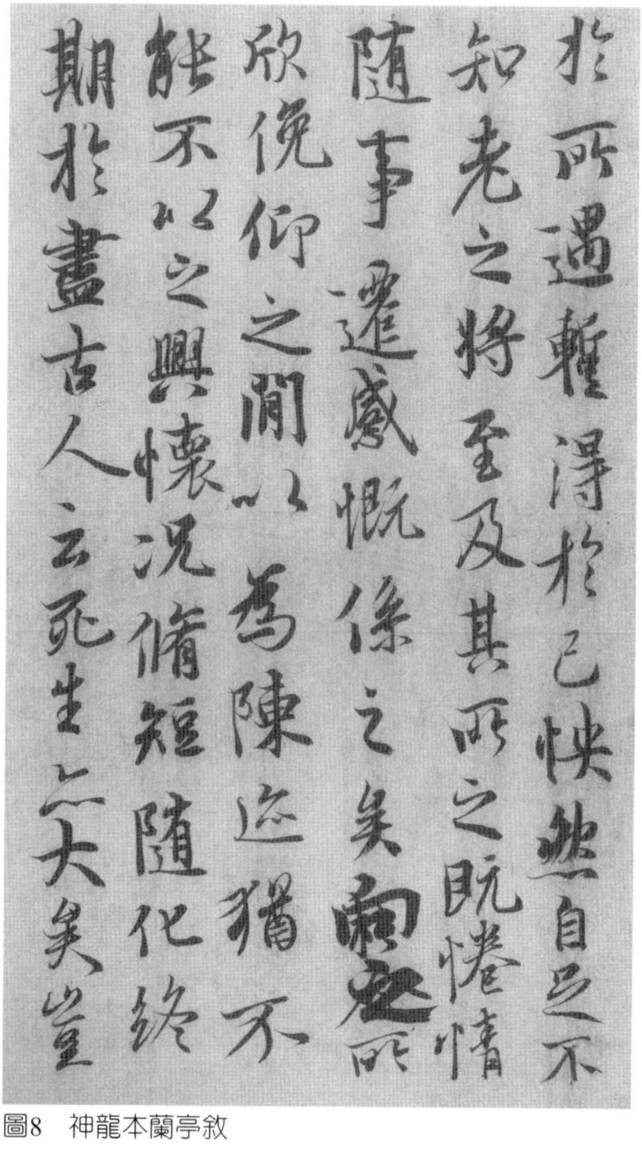

圖8　神龍本蘭亭敘

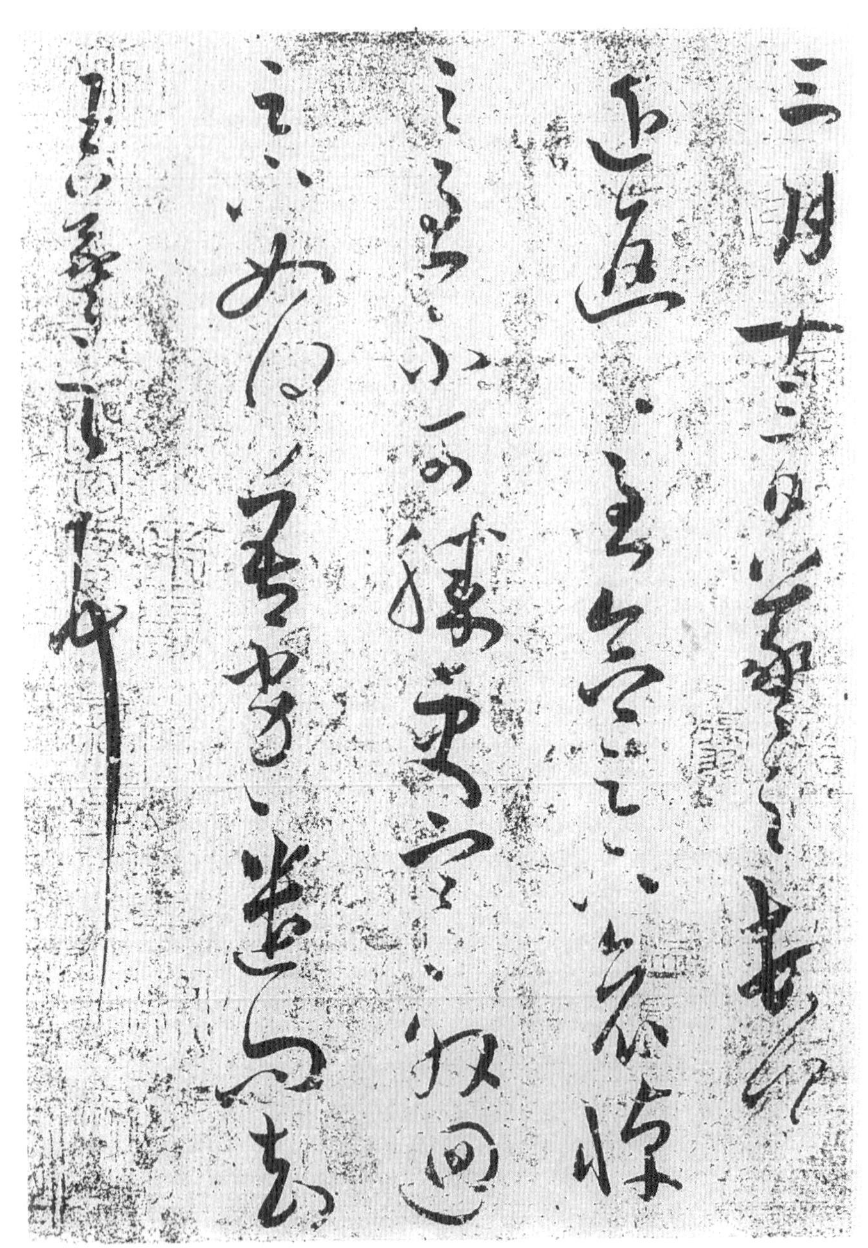

圖9　王羲之三月帖

騁、靜定種種的神態，於是它產生「意象」，似乎有筋有骨，有血有肉，有生命的活力存在其間。而這一切美感、動感、意象的造成，都由於一支毛筆。由於毛筆的圓錐體形，富有彈性，不僅能縱橫揮運，且能高下提按，使點畫纖壯變化，使筆的動作爲三度的動作，而產生立體感。因之能躍然紙上、蔚然成幅，煥然其美，如圖10。

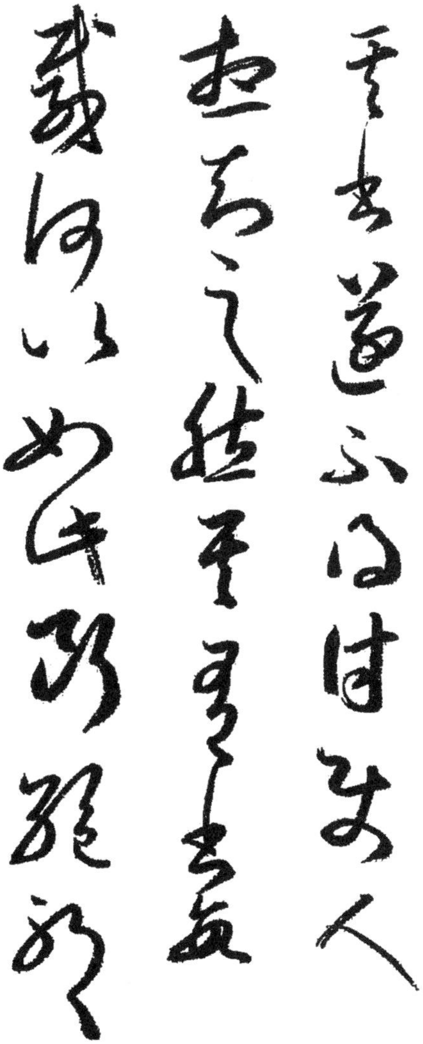

圖10　唐無名氏草書，此葉敦煌出土，為唐代無名書家所書，神彩飛越，超逸之品也。

惟毛筆僅是工具，運作使成其美的立體觀感，仍只是技巧的、外在的、形態的美。而中國書法，卻進一步的要求在這些美之間，應該涵蘊內在的韻味、精神、氣質、境界。而這一些深度的要求固然須從技巧表現之間流露出來，至於其氣質境界之高下，則全生於書家本身的文藝修養。中國書法，乃需文質彬彬，毫精紙佳，神韻高絕，自成佳作了。

［單元三　翻轉篇］

老人詞典　節選

簡媜

有何用處，當一個懶散的國王，
安居家中，統治巉岩峭壁的窮國
老妻作伴，我制定賞罰，頒布
不平等法律給未開化的種族，
他們囤積，睡，吃，不知道我是誰。
我不能荒廢我的旅程，我要暢飲
生命之酒直到杯底。

——英詩人丁尼生〈尤里西斯〉

6　作法

老人總會生一點兒小病，就醫固然必要，適度地求神問卜、拜佛或虔誠禱告，亦有鎮魂安神作用。

外婆九十三歲時身上長了俗稱「飛蛇」的帶狀疱疹，痛不可當。雖然就醫，但痊癒得慢，每日總是煩躁。我母回去，依民俗「斬飛蛇」所傳，爲她作法。

拿菜刀，在地上畫圓圈，先順時鐘畫一圈再逆時鐘畫一圈，叫外婆站入圈內，用草或繩比出飛蛇長短，一手執草，一手豎起如空刀，作勢斬草意即斬蛇，唸咒曰：「蛇公蛇母，隨斬隨好！」

「有輕鬆一點嗎？」

「啊，有卡輕鬆！」

我母叫我舅每天要勤快一點幫她斬飛蛇，反正免錢。

12 驚懼

川端康成《山之音》，六十多歲的信吾夜中不寐，身旁的妻子熟睡，發出擾人的鼾聲。有月亮的晚上，庭院傳來嘎嘎聲，不是蟬。蟲鳴依然不休，夜露從樹葉落到樹葉上的聲音依稀可聞。就在這時候，信吾突然聽見了山之音。

彷彿遙遠的風聲，卻有地嘯的深沉內力。聲音停了以後，信吾才覺得恐懼，難道是預告死期已屆？信吾不由得起了寒顫。

與此類近，有些老人家進入一種忽明忽暗的驚慌狀態，莫名的沉重來勢洶洶揪住胸口，彷彿被有著尖指甲的死神拉住衣角。他開始眉頭深鎖；頭昏，懷疑長腦瘤，咳嗽，懷疑有肺癌，腹瀉，必定是大腸癌。一有風吹草動，緊張得立刻奔向醫院，覺得醫生護士都應該放下手邊的病人立即拯救他，因爲他命在垂危。他打電話給子女，以驚恐的聲音說：「我快死了，我頭昏得不得了，站不住啊（語帶哽咽、聲音顫抖），血壓高的怎那麼高，一百六十六，從來沒有過的，你快來啊！」子女立刻請假從公司趕來，陪他就醫，醫生說，還好啦還好啦，我開點藥給你吃。他非常不滿意，認定此人醫術不行，多方打聽名醫，不辭辛勞就診，最後除了台大、榮總，其他醫院的醫生大概都是他們的媽媽用兩隻土雞換來醫師執照的，「那些醫生根本就不行！」加重語氣。

健保局統計，一位心臟病患，二〇一〇年全年領藥日數高達八一三四天，經健保局介入，此人就醫次數從一年三百四十四次減爲一百七十三次，但他每天仍吃二十多種藥，全年領藥日數仍有四〇一九天。

另有一位病人，前年一年看病一千零七十八次，經健保局輔導，去年減爲二百三十七次。還有一位，每天量血壓三十五次，一旦稍高，招救護車直奔醫院，把救護車當作小黃，急診室是他的後院躺椅。

過去兩年，每年有三萬三千多人一年看病超過一百次。

三萬三千人，可以擠爆小巨蛋，媲美女神卡卡演唱會之瘋狂現場。三萬三千人，他們瘋的是醫院，其答錄機可以如此留言：「我若不是在醫院，就是在往醫院的路上。」

他們成爲死神手中玩弄的小人偶馬戲團，用來逗祂的老婆、小老婆們哈哈大笑。

然而，也可能，唯一不拒絕他們的地方，只剩醫院了。

生命的價值與意義在哪裡？一個人驚惶恐懼地企求長壽，卻把活著的每一天用來驚惶恐懼，這樣的長壽，意義何在？

13 煲電話

英國小說家波伊斯：「我們越老便會越孤單，這表示，喜歡孤單的人入老後快樂會增加，反觀不喜歡孤單的人入老後快樂會等比例地減少。這就是爲什麼許多老人家會那麼聒噪多話，他們對於把他們包圍得越來越緊的孤單感到不是滋味，想要反抗。……一個老人如果能在陽光下自得其樂，那他將可與一小片在陽光下自得其樂的大理石發生無言的應合。」❶

不愛看電視，眼睛不好。不看報紙，眼睛不好也欠缺關心。不聽音樂，欠缺興趣。不畫畫不書法，欠缺興趣。不讀書，欠缺興趣。不想整理照片，欠缺興趣。不剪貼，欠缺興趣。不出門，體力已不濟。

唯一感興趣的是，聊天。

所以，鈴聲響起，他便活了，全神貫注、無比興奮，打開話匣子，滔滔不絕一小時又三十分鐘才依依不捨掛斷。若成天無人來電，便哀聲嘆氣，頓覺諸事不順心，一股悽苦被棄的感覺油然而生。所以，每日必須晨昏定省，而他也會依三餐電你，所談皆是家常瑣碎，一再重複，自成休閒。老人腦內，像一座小衣櫥，掛了六件外套五件上衣四條裙子三條長褲兩頂帽子一口皮箱，次序不變，每日盤點一次，抖一抖灰塵，順道把珠飾繡花都抖掉了，剩下一個條紋不清的小玉西瓜腦部。

但話說回來，他就只有這個嗜好，也沒吵著要你帶他去玩，就愛講電話而已，你怎能不聆聽？

「鈴……」

家人看了來電顯示，也不接，直接把電話遞給你。「誰啊？」你問。

❶摘自《老年之書》，主編：湯瑪斯．柯爾，瑪麗．溫克爾。梁永安譯，立緒。

「還有誰？」家人答。

15 肉身與慾望

當你能觀看八九十歲的身軀，你便能深思、規劃死亡的路程，視作是一次度假、一次靈修、一次勞改、一次銷毀、一次驗收，或者當作是一次布施，當器官還可以捐贈時，是一次性歸還。

死亡話題是赤裸的、火熱的，深沉且世故的，重鹹且強酸的，猶如醃製過久的酸菜，什麼都是，就是不無辜。

而慾望，最後一抹霞影將溶於滾沸的夜色之中，當此時，慾望現身，以統治者的威權，宣告御駕親征。

「像這麼冷的晚上，能在少女的裸體旁死去是老人最快樂的死法。」老人說。

川端康成《睡美人》，老年人死亡與慾望交纏之書。已失去性能力的老男人到旅館尋春，服了藥的少女裸身沉睡，任憑老者撫摸、共眠，索得一夜安慰。本來老人就是死亡的鄰居，尋歡的老者豈有不知，正因爲如此，這偷偷品嘗的暗夜小歡樂成爲回憶昔日年輕歲月的唯一一杯酒，他需要嗅聞少女的芬芳青春，使他暫忘那虎視眈眈的惡鄰居的臭味。然而，「碰到她的皮膚，從心底所產生出來的是靠近死亡的恐怖感，以及對失去青春的哀怨和對自己所做的不道德的悔恨……」川端康成讓服藥的少女猝死，也讓尋歡老人暴斃。那間慾望旅館，像是死神設的報到處。

在現實上，慾望伴隨恐懼踹開了老年喪偶者的大門，每道牆壁都震倒了，只剩四根柱子，他坐在家中像坐在公園的涼亭。有一天，下定決心，他要再娶，再嘗一口世間美味，不計代價。

「你們媽媽走了一年，你們沒一個在我身邊，你們都有家，我沒有家了哇！誰來照顧我？」

兒子說，那對象看起來不像是當「老伴」的好人選。他發火了，罵兒子：「你這麼會看人，你怎麼沒看出你媳婦會跟你離婚咧？」

「爸，有很多，新聞上講，有很多老人娶了……，結果呢，人財兩失！」兒子呑呑吐吐。

「說穿了，你們想的就是這幾個錢，怕我的財產沒了，你們沒得分是不是？我的錢我賺的，到現在我沒用到你們一塊錢，你們急什麼？」

「爸，你怎麼這樣講？我們不是這個意思！」兒子說。

「我就是這個意思，」個性較強的女兒，不能忍了，踹開天窗：「媽才走一年，你就要再娶，我替媽感到不（哭了）……不值！你的財產也是媽幫忙賺的，你何必問我們，帶你女朋友去金寶山問她同不同意啊！」

「不要說了，不要說了，你們都給我滾！」

慾望是一把小刀，親情是禁不起被做成「沙西米」的，活生生地滲著血水，每一口都拌了芥末，呑不下也得呑，呑得你淚流滿面。

19 戰將

人稱「阿姑」的她，七十多歲，做田近七十年，她的血液大概是稻禾綠色，她的身軀像田土捏成的。

三個兒子依序成婚生子，她幫大兒子帶大三個孩子。幫二兒子帶大兩個，也幫三兒子帶兩個。七個孫，最大的念大學了，最小的剛出生，她一手包辦。小孫在懷，念書的孫兒孫女從小學到高中，一放學都回來吃飯，「阿嬤，我肚子餓！」「阿嬤，有什麼東西可以吃？」她讓孫兒有熱飯吃，有乾淨衣服可換，有便當可帶。

她每天四點起床，先到菜園照料菜苗，拔起當日可吃的蔬菜，接著到後院洗衣服，晾畢，做早餐，喊大大小小起床上班上學。像她這樣的婆婆，簡直是超級台傭，可是天下事常常沒什麼公道可言——掌管公道的那個神肯定是個酒鬼，公道與否全看祂是醒是醉。阿姑的媳婦運不好，先後離了兩個。她不想開能怎樣？自嘲：「我嫁出去的都是仙女佛祖，娶進來的是山豬猛虎。」

八點不到，屋子空了，剩她與小嬰兒。她沒閒著，沒空悲情、多疑、憂鬱、焦慮、呻吟、暴躁、煲電話，她曬蘿蔔乾、做醬油，她做的醬油遠近馳名，常常未開工就被訂光了。

有一天，她剁雞肉，一滑，大菜刀剁到左拇指，幾乎斷指，速就醫縫合，醫生囑咐住院觀察。她躺在病床像躺在針氈上，一下子起來一下子躺著一下子去逛護理站一下子又回來躺下，難得阿姑也會抱怨起來：「唉，歸世人（一輩子）不曾這樣，沒代沒誌剁到流血流滴，實在有夠含病（笨）！」

隔壁床病友問她緣故，她說明後，補了一句：「叫我住院，我歸（整個）厝間的息頭都沒法度做，這幾天要做醬油，氣死我嘍！」

「妳會做醬油？」左右兩床病人同時問。

「嚇，」阿姑的臉上閃過一絲不屑，也是類似「你不知道你在跟祖媽說話嗎？」反正閒著也是閒著，從黑豆開始，說一缸純手工、無防腐劑的純釀醬油給病人聽，霎時，像水淹金山寺，黑溜溜的醬油汩汩冒出，淹沒這充斥著藥水味的病房。病友們下訂單，我要兩瓶，一瓶原味一瓶薏仁的，我要三瓶，我要四瓶……。

阿姑去護理站要紙筆，「姓名跟住址你們自己寫，字識我，我不識字。」

出院時，阿姑賣了十二瓶醬油。

左姆指纏著沙布，像一球冰淇淋，阿姑照樣操持家務。人勸她休息，她說，爲了一隻「大不翁」，整身軀都免顫動，太不划算了。

她不識字，她不富有，但在命運面前，她絕對是不把天地放在眼裡的戰將。

我問阿姑：「妳怕死？」

「不怕，」她斬釘截鐵：「不要給我拖！」

氣勢飽足，猶如怒目金剛，嚇死一群病魔瘟神。

22 整理自己的腳印

他從信仰中得到喜與樂，領受一切，凡事感恩。他不是把話掛在嘴上說說而已，感恩的話語湧自內心深處，他眞摯感謝上天對他的賞賜。

一個覺知必須對自己的生命負起完全責任的人，才有可能走到他所抵達的境界，看見他所看到的風景；這一條境界之路，跟教育程度與閱歷無關，但跟一個人是否思索生命最高價值、是否做生死學練習題、是否警惕自己必須持之以恆地鍛鍊心志有關。他是好學的人，也是能做深度思考的人，所以，信仰所指示的道路與他一生所尋思的道路合流，更壯大他靈魂的力量，顯出了異於其他老人的生命氣象。

他眞的認爲一個人應該爲自己的老年負起責任，完全承受不可避免的肉身衰頹所帶來的苦惱，從中尋求平衡之法而不動搖對信仰的堅固信心，不鬆懈對靈魂的護守，不回頭走墜落的路變成一個向子女需索、對世間哀號的老人。

他具有王者的氣派。

希臘神話門神雅納斯（Janus）有兩張臉，一張望向過去，一張前瞻未來。九十歲左右，他覺知生命離終點站越來越近，回望過去，興起自我整理的念頭。他在紙上寫著年代大綱，記下事件，以及他認爲應當傳給子女的金玉之言。

他一遍又一遍打著草稿，絕不把珍貴的時間進貢給悲情、多疑、憂鬱、焦慮、呻吟、暴躁、煲電話這一群土匪，他積極地整理一生，記錄一雙平凡的腳所踩過的不平凡的路，留下個人的歷史，感謝神之恩賜。

他示範了一種行走的姿勢，如丁尼生〈尤里西斯〉詩中所言：

我不能荒廢我的旅程，我要暢飲
生命之酒直到杯底。

服裝的性別辨證

平路

讓我告訴你，曾經有一年女裝流行的是男裝的款式，巴黎、倫敦、米蘭、紐約……，一場場發表會中，女性模特兒身著長褲、背心、西服上衣，銀行家的鴿灰與鐵灰、總經理的藏青直紋，注重質地感、線條簡單明瞭。有人說因爲那是女性在政治上頗有斬獲的一年，女性「向權看」，所以，伸展台上的設計就從男裝的語彙中擷取靈感。同樣地，按照這解碼的原則：那年冬天女性也流行酷似軍裝的長大衣，銅釦肩章、寶藍的色調、一片到底的連身剪裁，看來與歐洲軍國主義的復甦有關——

你又問我，那麼，依照這解碼的原則，男裝的流行呢？如今男士們的服裝色澤繽紛、肩線柔軟、布料鬆垂、褲管尤其寬大，大衣與風衣不必硬挺，運動夾克的剪裁替代了西裝外套，甚至正式的西裝上身也可以加一個形狀凸顯的外袋。翻開英文版《君子雜誌》，男性模特兒經常在巧笑倩兮，身上一襲湖水綠的法藍絨絨上衣，再翻再翻，粉紫色水洗絲的夾克，黑底大顆白點的領帶，或者像《大亨小傳》裡蓋茲比一樣的全套乳白，論起來，這才是近年來服裝革命所發生的地方。

放眼如今的流行，男裝與女裝互相假借轉注，結果是豐富了彼此的服裝語言：男裝少去桎梏自己的僵硬，女裝多出肯定本身的直率。如果我們眞如此樂觀，以爲這服裝語言中富含著男女平權的契機，那麼，熟諳服裝沿革史的你必然會提醒我，早有人做過更激進的預卜，而那一天卻遲遲不肯來到。一九七○年，當時前衛的設計家Rudi Gernreich便宣稱，到了一九八○，男性與女性就可以互換衣著了。事實上，他自己的設計圖裡，迷你裙與喇叭褲皆由男女共穿，再沒有性別的區別。

然而，不僅Gernreich的預言未曾如期實現，令後世看起來尤其忍俊不住的是，就在他的設計圖中，穿裙子或穿長褲的男性都是正面站著，雙手扠腰，目注前方，佔去了大部分的篇幅；而穿同樣衣服的女性則彎曲身子一旁側立，依然一副臣服的姿勢。

所以，女性還是不要高興得太早吧，你語重心長地說，你記起了你曾涉獵過的弗洛伊德，女性採取男裝的造型，目的常在引起性別倒錯的聯想，因此傳遞某種格外詭異的性感，並非為了作平權的告示，而仍然在變個方式取悅男性。很符合男士這種性感想像的譬如：美豔女星瑪琳戴德麗（Marlene Dietrich）一九三〇年間繫領帶穿西裝偏戴著一頂小帽的帥氣樣子。

但那確實是本世紀西方女性穿長褲的濫觴啊，我出言道，提醒你瑪琳戴德麗於一九三二年穿男性的夾克與長褲在塞納河邊散步，一時輿論大譁，甚至勞駕巴黎的警長出面干涉。既然意義在首開風氣，又何必介意對男性而言，引起的是否為強烈的感官刺激？

你可不以為然，你主張更深一層剖析，你用電影「安妮．霍爾」裡的戲服來舉例：女主角黛安．基頓在片中常是男裝打扮，三件頭的西裝，背心、領帶、呢帽等等一應俱全，每件衣服都十分寬鬆，片子推出後，那類並不強調女性特徵的造型一時也蔚為風氣。但人們在文化分析的文章裡卻指出，女主角在電影中的男裝打扮，只在顯出她是個不會帶來傷害的友善女性，她強韌、不存小心眼、有幽默感、可以做男人的好朋友；但另一方面，正因為這些衣服的超級寬大，讓人覺得躲在衣服裡的是個徬徨無主的孩子，她的獨立只是做做樣子罷了。她仍然需要邀請男伴來替自己作主，儘管找來的男伴是那麼神經質的伍迪．亞倫。其實，就在聽你舉例的時候，我突然想起種種二律背反的矛盾，可能正代表導演伍迪．亞倫心目中的理想女性，而這類不切實際、難以在一人身上同時出現的形象，是否又與他跟米亞．法拉（以及她收養的女兒）後來鬧開的家庭糾紛扯上些關聯？可惜，那已經非關本文討論的範圍了。

對，我回過神來，大致同意地說，衣服裡確實藏著繁複的象徵意義，於性別角色上，甚至可以存在自相衝突的隱喻：就像女性在辦公室裡穿著套裝，既然塑造出效率的形象，但套裝中最常見到的窄裙卻嬝嬝娜娜地——限制了女性更俐落快速的移動。再以高跟鞋來說，儘管它的高度讓女性彷彿看見出頭天的往上攀升，但同時卻搖搖欲墜地——適以造成不良於行的危殆之感（同樣危險的是今年踩蹺一樣，將鞋前方也一齊墊高的流行）。

儘管如此，我們還是必須要樂觀，我揚起聲音說，譬如，令人樂觀的是男裝近年來向女裝一路靠攏的趨勢。與以往比較起來就知道，像那位爲服裝沿革發表過專著的James Laver曾從歷史的角度闡述，過去，女裝的設計總是出自色慾上的誘引原則；但是男裝的設計一向不然，男裝的功能卻在表現人處於社會上的層序位置。他說，女裝強調的部位儘管年年不同，譬如有時候強調胸部、有時候強調腿部，從來脫不出旨在引起男人注意的色慾原則。

我繼續說道：我們亦可以由性別角色的界定來講這同樣的道理，眾所周知地，在過去，女人身體一向是男人觀看的對象，男人看女人，而女人也是從男性目光裡認知自己的身體。另一方面，男人從不注視自己，女人同樣也不看男性的身體，女人只是從社會地位與財勢功名中界定男人。因此，在過去，男士服裝只要發揮其社經地位中的區辨作用即可。到了目前，當男裝的流行發生變革。漸漸地色彩鮮艷、布料柔滑、重視細節，而且展現出男性身體的線條，至少表示男性正在注意自己的身體，或者不吝於顯示身體上的性感，未來有一天，當男女地位較合乎平等的互惠原則，那時候，男性身體也將是女性慾求的對象——

呃，你打斷我的一派樂觀，應該對資本主義圈套心生警惕吧，你潑我冷水地說，慾求不過是製造出來的，既然爲異化下的產物，會選擇什麼樣的衣服，只是資本體系網絡下預設的陷阱。廣告裡櫥窗內完美的影像指導人們什麼是流行，再把流行悉數賣出：「今秋的感覺是浪漫的楓紅」、「直紋的選擇才帶給你成熟與自信」……而消費者對這一類權威語調的順從，只會深化社會上原有的各種壓迫。至於男女時裝的逐漸合拍，你說，更顯著的原因可能歸功於國際舞台上共通的設計師們：Calvin Klein、Griogio Armani、Donna Karen、Michael Kors……都是西方時裝設計行業中男女通吃的名字。

不能這麼斷言，我急於爭辯道，就算製造流行的商業系統常是體制的幫凶，反過來看，女性沒有慾求卻表現賢妻良母式的素樸，難道不也可能代表對父權的默默遵循嗎？像我們言者諄諄的父執輩，在我們青春期就批評我們：「多沒出息，愛趕時髦，讓幾個裁縫的怪點子牽著鼻子走。」但實情是，青少年曾經用對衣服時尚的堅持說出對父權體制的反叛，以少女來說，她所試圖反叛的也包括日後將束縛女性一生的封建道德觀！——在這樣反叛權威的架構下，數數看影響青少年的媒體英雄，藉著衣服顛覆體制最有成效的人物曾是歌星瑪丹娜。她當時每月換一套造型，將衣服當作佈景的同時，說出了人們所感知到的社會環境不過是可以更動的舞台。

譬如說，當瑪丹娜揭舉內衣外穿，她一面身著黑色束胸馬甲，一面高舉肌肉僨張的手臂，連最學院的女性主義者都不能不爲她的顚覆功能而動容；從西方電影裡，我們都熟知「馬甲」原來所傳遞的意義：其原意是女性身體脆弱而不堪一折，因此需要支撐，需要用這樣的硬物把身體撐將起來，結果，造成的是骨折、缺氧、脊柱變形、動不動就昏厥的嬌弱女性。

從西方文化中殘害女性健康的馬甲，你又記起「亂世佳人」電影裡女主角產後抱著柱子束腰的一幕。爲以往婦女的處境而不平，你又詬病起我們文化裡硬生生綑綁女人的纏足習俗，以及讓綑綁繼續存在到今天的傳統式旗袍。是啊，我說，每當我們的官場貴婦或外交官夫人盛讚起傳統式旗袍多麼代表中國的女性美，我總懷疑她們可曾反省到這襲衣衫的束縛意涵，除了表現凹凸有致的女性身體，旗袍令人難以跨步行走、難以彎腰伸臂，行動上帶來諸多不便。在傳統女性美的名目下，居然還作了航空公司空服員的制服，難怪長久以來人們誤會空中小姐是飛機上擺著好看的花瓶。

泛泛發抒了對未改良式（改良的則舒適自然多了！）旗袍的惡感，我問你，對傳統服飾裡男人穿的馬褂可有什麼看法？你說，那可是封建體系下伴隨男性角色的道具。而以現代的眼光來看，依我們前面的討論，一種衣服款式刻意地去模糊身體的線條，儘管可能有倜儻風流的抽象神韻，卻讓衣服脫離了男人身體，而與男人的身分地位象徵不可或分。至於民國以後的中山裝呢，我理解地說，我能夠想到當年儉樸克難的時代氣氛，從開始設計，事實上，中山裝完全是實用考慮下的產品！

一九二三年，國父根據在南洋華僑中流行的「企領文裝」爲基樣，由一位越南河內裁縫黃隆生協助，設計成了中山裝。據史料記載，穿上第一套中山裝時，國父說的是：「這種衣服好看、實用、方便、省錢，不像西裝那樣，除上衣、襯衣外，還要硬領，這些東西又多是進口的，費事費錢。」所以，我們有了襯衫、領帶與西裝上身「三合一」的中山裝。國父所設計的褲子更包括前後左右五個口袋，適於隨身攜帶各種東西。但是顧到現實需要之後，似乎也過於工整，好像成年人上班穿的制服（爲什麼要穿制服？那又是圍繞著權力建立訓育系統的問題了，你插嘴道），因此，缺少些在衣著中表現個人特色的餘裕。等到再蛻變成了「毛裝」，泯滅的不只是人的性別，更是人的個性，不分男女，人人一度被塑造爲國家極權機器下的藍螞蟻。

閒話了這許多，我們（我的？是不是你的？）最後的結論是，不妨樂觀呀！儘管落在資本主義的消費網絡中，至少，人們可以隨時激賞呂芳智與溫慶珠等本土服裝設計家的創意，亦可以隨心選擇三宅一生與范倫鐵諾的作品，總是穿出了某種自信、穿出了某種自己。至於從服裝與性別角色的關係上預卜，由這一路行來的軌跡看，我們也有理由去期許——一個兩性間比較和諧、輕鬆、平等、適意的未來。

敘事文類／小說、戲劇

單元四　新詮篇

單元五　古典篇

〔單元四　新詮篇〕

許士林的獨白

獻給那些暌違母顏比十八年更長久的天涯之人

張曉風

駐馬自聽

我的馬將十里杏花跑成一掠眼的紅煙，娘！我回來了！

那尖塔戮得我的眼疼，娘，從小，每天，它嵌在我的窗裡，我的夢裡，我寂寞童年唯一的風景，娘。

而今，新科的狀元，我，許士林，一騎白馬一身紅袍來拜我的娘親。

馬踢起大路上的清塵，我的來處是一片霧，勒馬蔓草間，一垂鞭，前塵往事，都到眼前。我不需有人講給我聽，只要溯著自己一身的血脈往前走，我總能遇見你，娘。

而今，我一身狀元的紅袍，有如十八年前，我是一個全身通紅的赤子，娘，有誰能撕去這襲紅袍，重還我爲赤子？有誰能摶我爲無知的泥，重回你的無垠無限？

都說你是蛇，我不知道，而我總堅持我記得十月的相依，我是小渚，在你初暖的春水裡被環護，我抵死也要告訴他們，我記得你乳汁的微溫。他們總說我只是夢見，他們總說我只是猜想，可是，娘，我知道我是知道的，我知道你的血是溫的，淚是燙的，我知道你的名字是「母親」。

而萬古乾坤，百年身世，我們母子就那樣緣薄嗎？才甫一月，他們就把你帶走了。有母親的孩子可聆母親的音容，沒母親的孩子可依向母親的墳頭，而我呢，娘，我向何處破解惡狠的符咒？

有人將中國分成江南江北，有人把領域劃成關內關外，但對我而言，娘，這世界被截成塔底和塔上。塔底是千年萬世的黝黑渾沌，塔外是荒涼的日光，無奈的春花和忍情的秋月……。

塔在前，往事在後，我將前去祭拜，但，娘，此刻我徘徊佇立，十八年，我重溯斷了的臍帶，一路向你泅去，春陽曖曖，有一種令人沒頂的怯懼，一種令人沒頂的幸福。塔牢牢地楔死在地裡，像以往一樣牢，我不敢相信你駄著它有十八年之久，我不能相信，它會永永遠遠鎮住你。

十八年不見，娘，你的臉會因長期的等待而萎縮乾枯嗎？有人說，你是美麗的，他們不說我也知道。

認取

你的身世似乎大家約好了不讓我知道，而我是知道的，當我在井旁看一個女子汲水，當我在河畔看一個女子浣衣，當我在偶然的一瞥間看見當窗繡花的女孩，或在燈下衲鞋的老婦，我的眼眶便乍然濕了。娘，我知道你正化身千億，向我絮絮地說起你的形象。娘，我每日不見你，卻又每日見你，在凡間女子的顰眉瞬目間，將你一一認取。

而你，娘，你在何處認取我呢？在塔的沉重上嗎？在雷峰夕照的一線酡紅間嗎？在寒來暑往的大地腹腔的脈動裡嗎？

是不是，娘，你一直就認識我，你在我無形體時早已知道我，你從茫茫大化中拼我成形，你從冥漠空無處摶我成體。

而在峨嵋山，在競綠賽青的千巖萬壑間，娘，是否我已在你的胸臆中。當你吐納朝霞夕露之際，是否我已被你所預見？我在你曾仰視的霓虹中舒昂，我在你曾倚以沉思的樹幹內緩緩引升，我在花，我在葉，當春天第一聲小草冒地而生並歡呼時，你聽見我。在秋後零落斷雁的哀鳴裡，你分辨我，娘，我們必然從一開頭就是彼此認識的。娘，眞的，在你第一次對人世有所感有所激的刹那，我潛在你無限的喜悅裡。而在你有所怨有所嘆的時分，我藏在你的無限淒涼裡。娘，我們必然是從一開頭就彼此認識的，你能記憶嗎？娘，我在你的眼，你的胸臆，你的血，你的柔和如春桑的四肢。

湖

娘，你來到西湖，從疊煙架翠的峨嵋到軟紅十丈的人間，人間對你而言是非走一趟不可的嗎？但裡湖、外湖、蘇堤、白堤，娘，竟沒有一處可堪容你。千年修持，抵不了人間一字相傳的血脈姓氏。爲什麼人類只許自己修仙修道，卻不許萬物修得人身跟自己平起平坐呢？娘，我一頁一頁的翻聖賢書，一個一個的去閱人的臉，所謂聖賢書無非要我們做人，但爲什麼眞的人都不想做人呢？娘啊！閱遍了人和書，我只想長哭，娘啊，世間原來並沒有人跟你一樣癡心地想做人啊！歲歲年年，大雁在頭頂的青天上反覆指示「人」字是怎麼寫的，但是，娘，沒有一個人在看，更沒有一個人看懂了啊！

南屏晚鐘，三潭印月，曲院風荷，文人筆下西湖是可以有無限題詠的。冷泉一逕冷著，飛來峰似乎想飛到那裡去，西湖的遊人萬千，來了又去了，誰是坐對大好風物想到人間種種就感激欲泣的人呢？娘，除了你，又有誰呢？

雨

西湖上的雨就這樣來了，在春天。

是不是從一開頭你就知道和父親註定不能天長日久做夫妻呢？茫茫天地，你只死心踏地眷著傘下的那一剎那溫情。湖色千頃，水波是冷的，光陰百代，時間是冷的，然而一把傘，一把紫竹爲柄的八十四骨的油紙傘下，有人跟人的聚首，傘下有人世的芳馨。千年修持是一張沒有記憶的空白，而傘下的片刻卻足以傳誦千年。娘，從峨嵋到西湖，萬里的風雨雷雹何嘗在你意中，你所以眷眷於那把傘，只是愛與那把傘下的人同行，而你心悅那人，只是因爲你愛人世，愛這個溫柔綿纏的人世。

而人間聚散無常，娘，傘是聚，傘也是散，八十四支骨架，每一支都可能骨肉撕離。娘啊！也許一開頭你就是都知道的，知道又怎樣，上天下地，你都敢去較量，你不知道什麼叫生死。你強扯一根天上的仙草而硬把人間的死亡扭成生命，金山寺一鬥，勝利的究竟是誰呢？法海做了一場靈驗的法事，而你，娘，你傳下了一則喧騰人口的故事。人世的荒原裡誰需要法事？我們要的是可以流傳百世的故事，可以乳養生民的故事，可以輝耀童年的夢寐和老年的記憶的故事。

而終於，娘，繞著那一湖無情的寒碧，你來到斷橋，斬斷情緣的斷橋。故事從一湖水開始，也向一湖水結束。娘，峨嵋是再也回不去了。在斷橋，一場驚天動地的嬰啼，我們在彼此的眼淚中相逢，然後，分離。

合鉢

一隻鉢，將你罩住，小小的一片黑暗竟是你而今而後頭上的蒼穹。娘，我在惡夢中驚醒千回，在那份窒息中掙扎。都說雷峰塔會在淒美的夕照裡，千年萬世，只專爲鎮壓一個女子的情癡，娘，鎮得住嗎？我是不信的。

世間男子總以爲女子一片癡情，是在他們身上，其實女子所愛的哪裡是他們，女子所愛的豈不也是春天的湖山，山間的晴嵐，嵐中的萬紫千紅，女子所愛的是一切好氣象，好情懷，是她自己一寸心頭萬頃清澈的愛意，是她自己也說不清道不盡的滿腔柔情。像一朵菊花的「抱香枝頭死」，一個女子緊緊懷抱的是她自己亮烈美麗的情操，而一隻法海的鉢能罩得住什麼？娘，被收去的是那樁婚姻，收不去的是屬於那婚姻中的恩怨牽掛，被鎮住的是你的身體，不是你的著意飄散如暮春飛絮的深情。

——而即使身體，娘，他們也只能鎮住少部分的你，眞正大部分的你卻在我身上活著。是你的傲氣塑成我的骨，是你的柔情流成我的血。當我呼吸，娘，我能感到屬於你的肺納，當我走路，我想到你在這世上的行跡。娘，法海始終沒有料到，你仍在西湖，在千山萬水間自在的觀風望月並且讀聖賢書，想天下事，與萬千世人摩肩接踵——藉一個你的骨血揉成的男孩，藉你的兒子。

不管我曾怎樣悽傷，但一想起這件事，我就要好好活著，不僅爲爭一口氣，而是爲賭一口氣！娘，你會贏的，世世代代，你會在我和我的孩子身上活下去。

祭塔

而娘，塔在前，往事在後，十八年乖隔，我來此只求一拜——人間的新科狀元，頭簪宮花，身著紅袍，要把千般委屈，萬種淒涼，都並作納頭一拜。

娘！

那豁然撕裂的是土地嗎？

那倏然崩響的是暮雲嗎？

那頹然而傾斜的是雷峰塔嗎？

那哽咽垂泣的是娘，你嗎？

是你嗎？娘，受孩兒這一拜吧！

你認識這一身通紅嗎？十八年前是紅通通的赤子，而今是宮花紅袍的新科狀元許士林。我多想扯碎這一身紅袍，如果我能重還爲你當年懷中的赤子，可是，娘，能嗎？

當我讀人間的聖賢書，娘，當我援筆爲文論人間事，我只想到，我是你的兒，滿腔是溫柔激盪的愛人世的癡情。而此刻，當我納頭而拜，我是我父之子，來將十八年的愧疚無奈併作驚天動地的一叩首。且將我的額血留在塔前，作一朵長紅的桃花，笑傲朝霞夕照；且將那崩然有聲的頭顱擊打大地的聲音，化作永恆的暮鼓，留給法海聽，留給一駭而傾的塔聽。

人間永遠有秦火焚不盡的詩書，法鉢罩不住的柔情。娘，唯將今夕的一凝目，抵十八年數不盡的骨中的酸楚，血中的辣辛，娘！

終有一天雷峰會倒，終有一天尖聳的塔會化成飛散的泥塵，長存的是你對人間那一點執拗的癡！

當我馳馬而去，當我在天涯地角，當我歌，當我哭，娘，我忽然明白，你無所不在的臨視我，熟知我，我的每一舉措於你仍是當年的胎動，扯你，牽你，令你驚喜錯愕，令你隔著大地的腹部摸我，並且說：「他正在動，他正在動，他要幹什麼呀？」

讓塔驟然而動，娘，且受孩兒這一拜！

後記：許士林是故事中白素貞和許仙的兒子，大部分的敘述者都只把情節說到「合鉢」為止，平劇中《祭塔》一段也並不經常演出，但我自己極喜歡這一段，我喜歡那種利劍斬不斷，法鉢罩不住的人間牽絆，本文試著細細表出許士林叩拜囚在塔中的母親的心情。

——選自九歌版《步下紅毯之後》（一九七九年）

二〇二〇補記：此文寫於一九七九年，當時由於一場戰爭，有六十萬捍衛台灣的老兵也是見不到母親的。

附錄

白娘子永鎮雷峰塔

馮夢龍

【原文】

山外青山樓外樓，西湖歌舞幾時休？
暖風熏得遊人醉，直把杭州作汴州。

話說西湖景致，山水鮮明。晉朝咸和年間，山水大發，洶湧流入西門。忽然水內有牛一頭見，渾身金色。後水退，其牛隨行至北山，不知去向。哄動杭州市上之人，皆以為顯化，所以建立一寺，名曰金牛寺。西門，即今之湧金門，立一座廟，號金華將軍。當時有一番僧，法名渾壽羅，到此武林郡雲遊，玩其山景，道：「靈鷲山前小峰一座，忽然不見，原來飛到此處。」當時人皆不信。僧言：「我記得靈鷲山前峰嶺，喚做靈鷲嶺，這山洞裡有個白猿，看我呼出為驗。」果然呼出白猿來。山前有一亭，今喚做冷泉亭。又有一座孤山，生在西湖中。先曾有林和靖先生在此山隱居。使人搬挑泥石，砌成一條走路，東接斷橋，西接棲霞嶺，因此喚作孤山路。又唐時有刺史白樂天，築一條路，南至翠屏山，北至棲霞嶺，喚做白公堤，不時被山水沖倒，不只一番，用官錢修理。後宋時，蘇東坡來做太守，因見有這兩條路，被水沖壞，就買木石，起人夫，築得堅固。六橋上朱紅欄杆，堤上栽種桃柳，到春景融和，端的十分好景，堪描入畫。後人因此只喚做蘇公堤。又孤山路畔，起造兩條石橋，分開水勢，東邊喚做斷橋，西邊喚做西寧橋。眞乃：

隱隱山藏三百寺，依稀雲鎖二高峰。

說話的，只說西湖美景，仙人古蹟。俺今日且說一個俊俏後生，只因遊玩西湖，遇著兩個婦人，直惹得幾處州城，鬧動了花街柳巷。有分教：才人把筆，編成一本風流話本。單說那子弟，姓甚名誰？遇著甚般樣的婦人？惹出甚般樣事？有詩爲證：

清明時節雨紛紛，路上行人欲斷魂；
借問酒家何處有，牧童遙指杏花村。

話說宋高宗南渡，紹興年間，杭州臨安府過軍橋黑珠巷內有一個宦家，姓李名仁，見做南廊閣子庫募事官，又與邵太尉管錢糧。家中妻子，有一個兄弟許宣，排行小乙。他爹曾開生藥店。自幼父母雙亡，卻在表叔李將仕家生藥鋪做主管，年方二十二歲。那生藥店開在官巷口。忽一日，許宣在鋪內做買賣，只見一個和尚來到門首，打個問訊道：「貧僧是保俶塔寺內僧，前日已送饅頭並卷子在宅上。今清明節近，追修祖宗，望小乙官到寺燒香，勿誤。」許宣道：「小子准來。」

和尚相別去了。許宣至晚歸姐夫家去。原來許宣無有老小，只在姐姐家住。當晚與姐姐說：「今日保俶塔和尚來請菴子，明日要薦祖宗，走一遭了來。」次日早起買了紙馬、蠟燭、經幡、錢垛一應等項，吃了飯，換了新鞋襪衣服，把菴子錢馬使條袱子包了，逕到官巷口李將仕家來。李將仕見了，問許宣何處去，許宣道：「我今日重去保俶塔燒菴子，追薦祖宗，乞叔叔容暇一日。」李將仕道：「你去便回。」

許宣離了鋪中、人壽安坊、花市街、過井亭橋，往清河街後錢塘門，行石函橋過放生碑，逕到保俶塔寺。尋見送饅頭的和尚，懺悔過疏頭，燒了菴子，到佛殿上看眾僧唸經。吃齋罷，別了和尚，離寺迤逶閒走，過西寧橋、孤山路、四聖觀，來看林和靖墳，到六一泉閒走。不期雲生西北，霧鎖東南，落下微微細雨，漸大起來。正是清明時節，少不得天公應時，催花雨下，那陣雨下得綿綿不絕。許宣見腳下濕，脫下了新鞋襪，走出四聖觀來尋船，不見一隻。正沒擺佈處，只見一個老兒，搖著一隻船過來。許宣暗喜，認時正是張阿公。叫道：「張阿公，搭我則個。」老兒聽得叫，認時，原來是許小乙。將船搖近岸來，道：「小乙官，著了雨，不知要何處上岸？」許宣道：「湧金門上岸。」

這老兒扶許宣下船，離了岸，搖近豐樂樓來。搖不上十數丈水面，只見岸上有人叫道：「公公，搭船則個。」許宣看時，是一個婦人，頭戴孝頭髻，烏雲畔插闃些素釵梳，穿一領白絹衫兒，下穿一條細麻布裙。這婦人肩下一個丫鬟，身上穿著青衣服，頭上一雙角髻，戴兩條大紅頭須，插著兩件首飾，手中捧著一個包兒要搭船。那老張對小乙官道：「『因風吹火，用力不多』，一發搭了他去。」許宣道：「你便叫他下來。」

老兒見說，將船傍了岸邊，那婦人同丫鬟下船，見了許宣，起一點朱唇，露兩行碎玉，向前道一個萬福。許宣慌忙起身答禮。那娘子和丫鬟艙中坐定了。娘子把秋波頻轉，瞧著許宣。許宣平生是個老實之人，見了此等如花似玉的美婦人，旁邊又是個俊俏美女樣的丫鬟，也不免動念。那婦人道：

「不敢動問官人，高姓尊諱？」許宣答道：「在下姓許名宣，排行第一。」婦人道：「宅上何處？」許宣道：「寒舍住在過軍橋黑珠兒巷，生藥鋪內做買賣。」那娘子問了一回，許宣尋思道：「我也問他一問。」起身道：「不敢拜問娘子高姓？潭府何處？」

那婦人答道：「奴家是白三班白殿直之妹，嫁了張官人，不幸亡過了，見葬在這雷嶺。為因清明節近，今日帶了丫鬟，往墳上祭掃了方回。不想值雨，若不是搭得官人便船，實是狼狽。」又閒講了一回，迤逶船搖近岸。只見那婦人道：「奴家一時心忙，不曾帶得盤纏在身邊，萬望官人處借些船錢還了，並不有負。」許宣道：「娘子自便，不妨，些須船錢，不必計較。」還罷船錢。

那雨越不住。許宣挽了上岸。那婦人道：「奴家只在箭橋雙茶坊巷口。若不棄時，可到寒舍拜茶，納還船錢。」許宣道：「小事何消掛懷。天色晚了，改日拜望。」說罷，婦人共丫鬟自去。許宣入湧金門，從人家屋簷下到三橋街，見一個生藥鋪，正是李將仕兄弟的店。許宣走到鋪前，正見小將仕在門前。小將仕道：「小乙哥晚了，那裡去？」許宣道：「便是去保俶塔燒菴子，著了雨，望借一把傘則個。」將仕見說叫道：「老陳把傘來，與小乙官去。」不多時，老陳將一把雨傘撐開道：「小乙官，這傘是清湖八字橋老實舒家做的八十四骨紫竹柄的好傘，不曾有一些兒破，將去休壞了！仔細，仔細！」許宣道：「不必吩咐。」接了傘，謝了將仕，出羊壩頭來，到後市街巷口。只聽得有人叫道：「小乙官人。」許宣回頭看時，只見沈公井巷口小茶坊屋簷下，立著一個婦人，認得正是搭船的白娘子。許宣道：「娘子如何在此？」白娘子道：「便是雨不得住，鞋兒都踏濕了，教青青回家取傘和腳下。

又見晚下來，望官人搭幾步則個。」許宣和白娘子合傘到壩頭道：「娘子到那裡去？」白娘子道：「過橋投箭橋去。」許宣道：「小娘子，小人自往過軍橋去，路又近了，不若娘子把傘將去，明日小人自來取。」白娘子道：「卻是不當，感謝官人厚意！」

許宣沿人家屋簷下冒雨回來。只見姐夫家當直王安，拿著釘靴雨傘來接不著，卻好歸來。到家內吃了飯。當夜思量那婦人，翻來覆去睡不著，夢中共日間見的一般，情意相濃，不想金雞叫一聲，卻是南柯一夢。正是：

心猿意馬馳千里，浪蝶狂蜂鬧五更。

到得天明，起來梳洗罷，吃了飯，到鋪中心忙意亂，做些買賣也沒心想。到午時後，思量道：「不說一謊，如何得這傘來還人？」當時許宣見老將仕坐在櫃上，向將仕說道：「姐夫叫許宣歸早些，要送人情，請假半日。」將仕道：「去了，明日早些來！」許宣唱個喏，逕來箭橋雙茶坊巷口，尋問白娘子家裡。問了半日，沒一個認得。正躊躕間，只見白娘子家丫鬟青青，從東邊走來。許宣道：「姐姐，你家何處住？討傘則個。」青青道：「官人隨我來。」許宣跟定青青，走不多路，道：「只這裡便是。」許宣看時，見一所樓房，門前兩扇大門，中間四扇看街槅子眼，當中掛頂細密朱紅簾子，四下排著十二把黑漆交椅，掛四幅名人山水古畫。對門乃是秀王府牆。那丫頭轉入簾子內道：「官人請入裡面坐。」許宣隨步入到裡面，那青青低低悄悄叫道：「娘子，許小乙官人在此。」白娘子裡面應道：「請官人進裡面拜茶。」許宣心下遲疑。青青三回五次，催許宣進去。許宣轉到裡面，只見：四扇暗槅子窗，揭起青布幕，一個坐起，桌上放一盆虎鬚菖蒲，兩邊也掛四幅美人，中間掛一幅神像，桌上放一個古銅香爐花瓶。那小娘子向前深深的道一個萬福，道：「夜來多蒙小乙官人應付周全，識荊之初，甚是感激不淺！」許宣道：「此微何足掛齒。」白娘子道：「少坐拜茶。」茶罷，又道：「片時薄酒三杯，表意而已。」

許宣方欲推辭，青青已自把菜蔬果品流水排將出來。許宣道：「感謝娘子置酒，不當厚擾。」飲至數杯，許宣起身道：「今日天色將晚，路遠，小子告回。」娘子道：「官人的傘，舍親昨夜轉借去了，再飲幾杯，著人取來。」許宣道：「日晚，小子要回。」娘子道：「再飲一杯。」許宣道：「飲饌好了，多感，多感！」白娘子道：「既是官人要回，這傘相煩明日來取則個。」

許宣只得相辭了回家。至次日，又來店中做些買賣，又推個事故，卻來白娘子家取傘。娘子見來，又備三杯相款。許宣道：「娘子還了小子的傘罷，不必多擾。」那娘子道：「既安排了，略飲一杯。」許宣只得坐下。那白娘子篩一杯酒，遞與許宣，啟櫻桃口，露榴子牙，嬌滴滴聲音，帶著滿面春風，告道：「小官人在上，眞人面前說不得假話。奴家亡了丈夫，想必和官人有宿世姻緣，一見便蒙錯愛。正是你有心，我有意。煩小乙官人尋一個媒證，與你共成百年姻眷，不枉天生一對，卻不是好。」

許宣聽那婦人說罷，自己尋思：「眞個好一段姻緣。若取得這個渾家，也不枉了。我自十分肯了，只是一件不諧：思量我日間在李將仕家做主管，夜間在姐夫家安歇，雖有些少東西，只好辦身上衣服，如何得錢來娶老小？」自沉吟不答。

只見白娘子道：「官人何故不回言語？」許宣道：「多感過愛，實不相瞞，只爲身邊窘迫，不敢從命。」娘子道：「這個容易。我囊中自有餘財，不必掛念。」便叫青青道：「你去取一錠白銀下來。」只見青青手扶欄杆，腳踏胡梯，取下一個包兒來，遞與白娘子。娘子道：「小乙官人，這東西將去使用，少欠時再來取。」親手遞與許宣。許宣接得包兒，打開看時，卻是五十兩雪花銀子。藏於袖中，起身告回。青青把傘來還了許宣。

許宣接得相別，一逕回家，把銀子藏了。當夜無話。明日起來，離家到官巷口，把傘還了李將仕。許宣將些碎銀子買了一隻肥好燒鵝，鮮魚精肉，嫩雞果品之類提回家來。又買了一樽酒，吩咐養娘丫鬟安排整下。那日卻好姐夫李募事在家。

飲饌俱已完備，來請姐夫和姐姐吃酒。李募事卻見許宣請他，倒吃了一驚，道：「今日做甚麼子壞鈔？日常不曾見酒盞兒面，今朝作怪！」三人依次坐定飲酒，酒至數杯，李募事道：「尊舅，沒事教你壞鈔做甚麼？」許宣道：「多謝姐夫，切莫笑話，輕微何足掛齒。感謝姐夫姐姐管僱多時。一客不煩二主人，許宣如今年紀長成，恐慮後無人養育，不是了處。今有一頭親事在此說起，望姐夫、姐姐與許宣主張，結果了一生終身也好。」

姐夫、姐姐聽得說罷，肚內暗自尋思道：「許宣日常一毛不拔，今日壞得些錢鈔，便要我替他討老小？」夫妻二人，你我相看，只不回話。吃酒了，許宣自做買賣。過了三兩日，許宣尋思道：「姐姐如何不說起？」忽一日，見姐姐問道：「曾向姐夫商量也不曾？」姐姐道：「這個事不比別樣的事，倉猝不得，又見姐夫這幾日面色心焦，我怕他煩惱，不敢問他。」許宣道：「姐姐你如何不上緊？這個有甚難處，你只怕我教姐夫出錢，故此不理。」許宣便起身到臥房中開箱，取出白娘子的銀來，把與姐姐道：「不必推故，只要姐夫做主。」姐姐道：「吾弟多時在姐姐家作主管，積攢得這些私房。可知道要娶老婆！你且去，我安在此。」

卻說李募事歸來，姐姐道：「丈夫，可知小舅要娶老婆，原來自攢得些私房，如今教我倒換些零碎使用，我們只得與他完就這親事則個。」李募事聽得說道：「原來如此，得他積得些私房也好。拿來我看！」做妻的連忙將出銀子遞與丈夫。

李募事接在手中，翻來覆去，看了上面鑿的字號，大叫一聲：「苦！不好了，全家是死！」那妻吃了一驚，問道：「丈夫有甚麼利害之事？」李募事道：「數日前邵太尉庫內封記鎖押俱不動，又天地穴得人，平空不見了五十錠大銀。見今著落臨安府提捉賊人，十分緊急，沒有頭路得獲，累害了多少人。出榜緝捕，寫著字號錠數，『有人捉獲賊人銀子者，賞銀五十兩；知而不首，及窩藏賊人者，除正犯外，全家發邊遠充軍。』這銀子與榜上字號不差，正是邵太尉庫內銀子。即今捉捕十分緊急。正是『火到身邊，顧不得親眷，自可去撥。』明日事露，實難分說。不管他偷的借的，寧可苦他，不要累我。只得將銀子出首，免了一家之害。」

老婆見說了，合口不得，目瞪口呆。當時拿了這錠銀子，逕到臨安府出首。

那大尹聞知這話，一夜不睡。次日，火速差緝捕使臣何立。何立帶了伙伴並一班眼明手快的公人，逕到官巷口李家生藥店提捉正賊許宣。到得櫃邊，發聲喊，把許宣一條繩子綁縛了，一聲鑼，一聲鼓，解上臨安府來。正値韓大尹升廳，押過許宣當廳跪下，喝聲：「打！」許宣道：「告相公不必用刑，不知許宣有何罪？」大尹焦躁道：「眞贓正賊，有何理說，還說無罪？邵太尉府中不動封鎖，不見了一號大銀五十錠，見有李募事出首，一定這四十九錠也在你處。想不動封皮，不見了銀子，你也是個妖人！不要打，……」喝教：「拿些穢血來！」

許宣方知是這事，大叫道：「不是妖人，待我分說！」大尹道：「且住，你且說這銀子從何而來？」許宣將借傘討傘的上項事，一一細說一遍。大尹道：「白娘子是甚麼樣人？見住何處？」許宣道：「憑他說是白三班白殿直的親妹子，如今見住箭橋邊，雙茶坊巷口，秀王牆對黑樓子高坡兒內住。」那大尹隨即便叫緝捕使臣何立，押領許宣，去雙茶坊巷口捉拿本婦前來。

何立等領了鈞旨，一陣做公的逕到雙茶坊巷口秀王府牆對黑樓子前看時，門前四扇看階，中間兩扇大門，門外避藉陛，坡前卻是垃圾，一條竹子橫夾著。何立等見了這個模樣，倒都呆了！當時就叫捉了鄰人，上首是做花的丘大，下首是做皮匠的孫公。那孫公擺忙的吃他一驚，小腸氣發，跌倒在地。眾鄰舍都走來道：「這裡不曾有甚麼白娘子。這屋子五六年前有一個毛巡檢，合家時病死了。青天白日，常有鬼出來買東西，無人敢在裡頭住。幾日前，有個瘋子立在門前唱喏。」

何立教眾人解下橫門竹竿，裡面冷清清地，起一陣風，卷出一道腥氣來。眾人都吃了一驚，倒退幾步。許宣看了，則聲不得，一似呆的。做公的數中，有一個能膽大，排行第二，姓王，專好酒吃，都叫他做好酒王二。王二道：「都跟我來。」發聲喊一齊哄將入去，看時板壁、坐起、桌凳都有。來到胡梯邊，教王二前行，眾人跟著，一齊上樓。樓上灰塵三寸厚。

眾人到房門前，推開房門一望，牀上掛著一張帳子，箱籠都有，只見一個如花似玉穿著白的美貌娘子，坐在牀上。眾人看了，不敢向前。眾人道：「不知娘子是神是鬼？我等奉臨安大尹鈞旨，喚你去與許宣執證公事。」那娘子端然不動。好酒王二道：「眾人都不敢向前，怎的是了？你可將一罈酒來，與我吃了，做我不著，捉他去見大尹。」眾人連忙叫兩三個下去提一罈酒來與王二吃。王二開了罈口，將一罈酒吃盡了，道：「做我不著！」將那空罈望著帳子內打將去。不打萬事皆休，才然打去，只聽得一聲響，卻是青天裡打一個霹靂，眾人都驚倒了！起來看時，牀上不見了那娘子，只見明晃晃一堆銀子。眾人向前看了道：「好了。」計數四十九錠。眾人道：「我們將銀子去見大尹也罷。」打了銀子，都到臨安府。何立將前事稟復了大尹。

大尹道：「定是妖怪了。也罷，鄰人無罪寧家。」差人送五十錠銀子與邵大尉處，開個緣由，一一稟復過了。許宣照不應得爲而爲之事，理重者決杖免刺，配牢城營做工，滿日疏放。牢城營乃蘇州府管下。

李募事因出首許宣，心上不安，將邵太尉給賞的五十兩銀子盡數付與小舅作爲盤費。李將仕與書二封，一封與押司范院長，一封與吉利橋下開客店的王主人。許宣痛哭一場，拜別姐夫姐姐，帶上行枷，兩個防送人押著，離了杭州到東新橋，下了航船。不一日，來到蘇州。先把書去見了范院長，並王主人。王主人與他官府上下使了錢，打發兩個公人去蘇州府，下了公文，交割了犯人，討了回文，防送人自回。范院長王主人保領許宣不入牢中，就在王主人門前樓上歇了。許宣心中愁悶，壁上題詩一首：

獨上高樓望故鄉，愁看斜日照紗窗；
平生自是眞誠士，誰料相逢妖媚娘！
「白白」不知歸甚處？「青青」那識在何方？
拋離骨肉來蘇地，思想家中寸斷腸！

有話即長，無話即短。不覺光陰似箭，日月如梭，又在王主人家住了半年之上。忽遇九月下旬，那王主人正在門首閒立，看街上人來人往。只見遠遠一乘轎子，旁邊一個丫鬟跟著，道：「借問一聲：此間不是王主家麼？」王主人連忙起身道：「此間便是。你尋誰人？」丫鬟道：「我尋臨安府來的許小乙官人。」主人道：「你等一等，我便叫他出來。」這乘轎子便歇在門前。王主人便入去，叫道：「小乙哥！有人尋你。」許宣聽得，急走出來，同主人到門前看時，正是青青跟著，轎子裡坐著白娘子。許宣見了，連聲叫道：「死冤家！自被你盜了官庫銀子，帶累我吃了多少苦，有屈無伸，如今到此地位，又趕來做甚麼？可羞死人！」那白娘子道：「小乙官人不要怪我，今番特來與你分辯這件事。我且到主人家裡面與你說。」

白娘子叫青青取了包裹下轎。許宣道：「你是鬼怪，不許入來。」擋住了門不放他。那白娘子與主人深深道了個萬福，道：「奴家不相瞞，主人在上，我怎的是鬼怪？衣裳有縫，對日有影。不幸先夫去世，教我如此被人欺負！做下的事，是先夫日前所爲，非干我事。如今怕你怨暢我，特地來分說明白了，我去也甘心。」主人道：「且教娘子入來坐了說。」那娘子道：「我和你到裡面對主人家的媽媽說。」門前看的人，自都散了。

許宣人到裡面對主人家並媽媽道：「我爲他偷了官銀子事，如此如此，因此教我吃場官司，如今又趕到此，有何理說？」白娘子道：「先夫留下銀子，我好意把你，我也不知怎的來的。」

許宣道：「如何做公的捉你之時，門前都是垃圾，就帳子裡一響不見了你？」白娘子道：「我聽得人說你爲這銀子捉了去，我怕你說出我來，捉我到官，妝幌子羞人不好看。我無奈何只得走去華藏寺前姨娘家躲了。使人擔垃圾堆在門前，把銀子安在牀上，央鄰舍與我說謊。」許宣道：「你卻走了去，教我吃官事！」白娘子道：「我將銀子安在牀上，只指望要好，那裡曉得有許多事情？我見你配在這裡，我便帶了些盤纏，搭船到這裡尋你，如今分說都明白了，我去也。敢是我和你前生沒有夫妻之分！」那王主人道：「娘子許多路來到這裡，難道就去？且在此間住幾日，卻理會。」青青道：「既是主人家再三勸解，娘子且住兩日，當初也曾許嫁小乙官人。」白娘子隨口便道：「羞殺人，終不成奴家沒人要？只爲分別是非而來。」王主人道：「既然當初許嫁小乙哥，卻又回去；且留娘子在此。」打發了轎子，不在話下。

過了數日，白娘子先自奉承好了主人的媽媽，那媽媽勸主人與許宣說合，選定十一月十一日成親，共百年偕老。光陰一瞬，早到吉日良時，白娘子取出銀兩，央王主人辦備喜筵，二人拜堂成親。酒席散後，共入紗廚。白娘子放出迷人聲態，顛鸞倒鳳，百媚千嬌，喜得許宣如遇神仙，只恨相見之晚。正好歡娛，不覺金雞三唱，東方漸白。正是：

歡娛嫌夜短，寂寞恨更長。

自此日爲始，夫妻二人如魚似水，終日在王主人家快樂昏迷纏定。日往月來，又早半年光景。時臨春氣融和，花開如錦，車馬往來，街坊熱鬧。許宣問主人家道：「今日如何人人出去閒游，如此喧嚷？」主人道：「今日是二月半，男子婦人，都去看臥佛。你也好去承天寺裡閒走一遭。」許宣見說，道：「我和妻子說一聲，也去看一看。」許宣上樓來，和白娘子說：「今日二月半，男子婦人都去看臥佛，我也看一看就來。有人尋說話，回說不在家，不可出來見人。」白娘子道：「有甚好看，只在家中卻不好？看他做甚麼？」許宣道：「我去閒耍一遭就回，不妨。」

許宣離了店內，有幾個相識，同走到寺裡看臥佛。繞廊下各處殿上觀看了一遭，方出寺來，見一個先生，穿著道袍，頭戴逍遙巾，腰繫黃絲縧，腳著熟麻鞋，坐在寺前賣藥，散施符水。許宣立定了看。那先生道：「貧道是終南山道士，到處雲遊，散施符水，救人病患災厄，有事的向前來。」那先生在人叢中看見許宣頭上一道黑氣，必有妖怪纏他，叫道：「你近來有一妖怪纏你，其害非輕！我與你二道靈符，救你性命。一道符，三更燒，一道符放在自頭髮內。」

許宣接了符，納頭便拜，肚內道：「我也八九分疑惑那婦人是妖怪，眞個是實。」謝了先生，逕回店中。至晚，白娘子與青青睡著了，許宣起來道：「料有三更了！」將一道符放在自頭髮內，正欲將一道符燒化，只見白娘子歎一口氣道：「小乙哥和我許多時夫妻，尚兀自不把我親熱，卻信別人言語，半夜三更，燒符來壓鎮我！你且把符來燒看！」就奪過符來，一時燒化，全無動靜。白娘子道：「卻如何？說我是妖怪！」許宣道：「不干我事。臥佛寺前一雲遊先生，知你是妖怪。」白娘子道：「明日同你去看他一看，如何模樣的先生。」

次日，白娘子清早起來，梳妝罷，戴了釵環，穿上素淨衣服，吩咐青青看管樓上。夫妻二人，來到臥佛寺前。只見一簇人，團團圍著那先生，在那裡散符水。只見白娘子睜一雙妖眼，到先生面前，喝一聲：「你好無禮！出家人枉在我丈夫面前說我是一個妖怪，書符來捉我！」那先生回言：「我行的是五雷天心正當，凡有妖怪，吃了我的符，他即變出眞形來。」那白娘子道：「眾人在此，你且書符來我吃看！」

那先生書一道符，遞與白娘子。白娘子接過符來，便吞下去。眾人都看，沒些動靜。眾人道：「這等一個婦人，如何說是妖怪？」眾人把那先生齊罵，那先生被罵得口睜眼呆，半晌無言，惶恐滿面。白娘子道：「眾位官人在此，他捉我不得。我自小學得個戲術，且把先生試來與眾人看。」只見白娘子口內喃喃的，不知念些甚麼。把那先生卻似有人擒的一般，縮做一堆，懸空而起。眾人看了齊吃一驚。許宣呆了。娘子道：「若不是眾位面上，把這先生弔他一年。」白娘子噴口氣，只見那先生依然放下，只恨爹娘少生兩翼，飛也似走了。眾人都散了。夫妻依舊回來，不在話下。日逐盤纏，都是白娘將出來用度。正是：

夫唱婦隨，朝歡暮樂。

不覺光明似箭，又是四月初八日，釋迦佛生辰。只見街市上人抬著柏亭浴佛，家家佈施。許宣對王主人道：「此間與杭州一般。」只見鄰舍邊一個小的，叫做鐵頭，道：「小乙官人，今日承天寺裡做佛會，你去看一看。」許宣轉身到裡面，對白娘子說了。白娘子道：「甚麼好看，休去！」許宣道：「去走一遭，散悶則個。」娘子道：「你要去，身上衣服舊了不好看，我打扮你去。」叫青青取新鮮時樣衣服來。許宣著得不長不短，一似像體裁的：

戴一頂黑漆頭巾，腦後一雙白玉環；穿一領青羅道袍，腳著一雙皀靴，手中拿一把細巧百折描金美人珊瑚墜上樣春羅扇。打扮得上下齊整。

那娘子吩咐一聲，如鶯聲巧囀道：「丈夫早早回來，切勿教奴記掛！」許宣叫了鐵頭相伴，逕到承天寺來看佛會。人人喝彩，好個官人。只聽得有人說道：「昨夜周將仕典當庫內，不見了四五千貫金珠細軟物件。見今開單告官，挨查沒捉人處。」許宣聽得，不解其意，自同鐵頭在寺。其日燒香官人子弟男女人等往往來來，十分熱鬧。許宣道：「娘子教我早回，去罷。」轉身人叢中，不見了鐵頭，獨自個走出寺門來。只見五六個人似公人打扮，腰裡掛著牌兒。數中一個看了許宣，對眾人道：「此人身上穿的，手中拿的，好似那話兒？」數中一個認得許宣的道：「小乙官，扇子借我一看。」許宣不知是計，將扇遞與公人。那公人道：「你們看這扇子扇墜，與單上開的一般！」眾人喝聲「拿了！」就把許宣一索子綁了，好似：

數隻皂雕追紫燕，一群餓虎啖羊羔。

許宣道：「眾人休要錯了，我是無罪之人。」眾公人道：「是不是，且去府前週將仕家分解！他店中失去五千貫全珠細軟，白玉絛環，細巧查折扇，珊瑚墜子，你還說無罪？眞贓正賊，有何分說！實是大膽漢子，把我們公人作等閒看成。見今頭上、身上、腳上，都是他家物件，公然出外，全無忌憚！」

許宣方才呆了，半晌不則聲。許宣道：「原來如此，不妨，不妨，自有人偷得。」眾人道：「你自去蘇州府廳上分說。」次日大尹升廳，押過許宣見了。大尹審問：「盜了周將仕庫內金珠寶物在於何處？從實供來，免受刑法拷打。」許宣道：「稟上相公作主，小人穿的衣服物件皆是妻子白娘子的，不知從何而來。望相公明鏡詳辨則個！」大尹喝道：「你妻子今在何處？」

許宣道：「見在吉利橋下王主人樓上。」大尹即差緝捕使臣袁子明押了許宣火速捉來。差人袁子明來到王主人店中，主人吃了一驚，連忙問道：「做甚麼？」許宣道：「白娘子在樓上麼？」

主人道：「你同鐵頭早去承天寺裡，去不多時，白娘子對我說道：『丈夫去寺中閒耍，教我同青青照管樓上。此時不見回來，我與青青去寺前尋他去也，望乞主人替我照管。』出門去了，到晚不見回來。我只道與你去望親戚，到今日不見回來。」眾公人要王主人尋白娘子，前前後後，遍尋不見。袁子明將王主人捉了，見大尹回話。大尹道：「白娘子在何處？」王主人細細稟復了，道：「白娘子是妖怪。」大尹一一問了，道：「且把許宣監了。」王主人使用了些錢，保出在外，伺候歸結。且說周將仕正在對門茶坊內閒坐，只見家人報道：「金珠等物都有了，在庫閣頭空箱子內。」周將仕聽了，慌忙回家看時，果然有了。只不見了頭巾絛環扇子並扇墜。周將仕道：「明是屈了許宣，平白的害了一個人，不好。」暗地裡到與該房說了，把許宣只問個小罪名。

卻說邵太尉使李募事到蘇州幹事，來王主人家歇。主人家把許宣來到這裡，又吃官事，一一從頭說了一遍。李募事尋思道：「看自家面上親眷，如何看做落？」

只得與他央人情，上下使錢。一日，大尹把許宣一一供招明白，都做在白娘子身上，只做「不合不出首妖怪等事」，杖一百，配三百六十里，押發鎮江府牢城營做工。李募事道：「鎮江去便不妨。我有一個結拜的叔叔，姓李名克用，在針子橋下開生藥店。我寫一封書，你可去投托他。」許宣只得問姐夫借了些盤纏，拜謝了王主人並姐夫，就買酒飯與兩個公人吃，收拾行李起程。王主人並姐夫送了一程，各自回去了。

且說許宣在路，饑餐渴飲，夜住曉行，不則一日，來到鎮江。先尋李克用家，來到針子橋生藥鋪內，只見主管正在門前賣生藥。老將仕從裡面走出來。兩個公人同許宣慌忙唱個喏道：「小人是杭州李募事家中人，有書在此。」主管接了，遞與老將仕。老將仕拆開看了道：「你便是許宣？」許宣道：「小人便是。」李克用教三人吃了飯。吩咐當直的，同到府中，下了公文，使用了錢，保領回家。防送人討了回文，自歸蘇州去了。許宣與當直一同到家中，拜謝了克用，參見了老安人。克用見李募事書，說道：「許宣原是生藥店中主管。」因此留他在店中做買賣，夜間教他去五條巷賣豆腐的王公樓上歇。克用見許宣藥店中十分精細，心中歡喜。原來藥鋪中有兩個主管，一個張主管，一個趙主管。趙主管一生老實本分，張主管一生剋剝奸詐，倚著自老了，欺侮後輩。見又添了許宣，心中不悅，恐怕退了他；反生奸計，要嫉妒他。

忽一日，李克用來店中閒看，問：「新來的做買賣如何？」張主管聽了心中道：「中我機謀了！」應道：「好便好了，只有一件……」克用道：「有甚麼一件？」老張道：「他大主買賣肯做，小主兒就打發去了，因此人說他不好。我幾次勸他，不肯依我。」老員外說：「這個容易，我自吩咐他便了，不怕他不依。」趙主管在旁聽得此言，私對張主管說道：「我們都要和氣。許宣新來，我和你照管他才是。有不是寧可當面講，如何背後去說他？他得知了，只道我們嫉妒。」老張道：「你們後生家，曉得甚麼！」天已晚了，各回下處。趙主管來許宣下處道：「張主管在員外面前嫉妒你，你如今要愈加用心，大主小主兒買賣，一般樣做。」許宣道：「多承指教！我和你去閒酌一杯。」二人同到店中，左右坐下。酒保將要飯果碟擺下，二人吃了幾杯。趙主管說：「老員外最性直，受不得觸。你便依隨他生性，耐心做買賣。」許宣道：「多謝老兄厚愛，謝之不盡！」又飲了兩杯，天色晚了。趙主管道：「晚了路黑難行，改日再會。」

許宣還了酒錢，各自散了。許宣覺道有杯酒醉了，恐怕衝撞了人，從屋簷下回去。正走之間，只見一家樓上推開窗，將熨斗播灰下來，都傾在許宣頭上。立住腳，便罵道：「誰家潑男女，不生眼睛，好沒道理！」只見一個婦人，慌忙走下來道：「官人休要罵，是奴家不是，一時失誤了，休怪！」許宣半醉，抬頭一看，兩眼相觀，正是白娘子。許宣怒從心上起，惡向膽邊生，無明火燄騰騰高起三千丈，掩納不住，便罵道：「你這賊賤妖精，連累得我好苦！吃了兩場官事！恨小非君子，無毒不丈夫。正是：

踏破鐵鞋無覓處，得來全不費工夫。

許宣道：「你如今又到這裡，卻不是妖怪？」趕將入去，把白娘子一把拿住道：「你要官休私休！」白娘子陪著笑面道：「丈夫，『一夜夫妻百夜恩』，和你說來事長。你聽我說：當初這衣服，都是我先夫留下的。我與你恩愛深重，教你穿在身上，恩將仇報，反成吳越？」許宣道：「那日我回來尋你，如何不見了！主人都說你同青青來寺前看我，因何又在此間？」

白娘子道：「我到寺前，聽得說你被捉了去，教青青打聽不著，只道你脫身走了。怕來捉我，教青青連忙討了一隻船，到建康府娘舅家去。昨日才到這裡。我也道連累你兩場官事，也有何面目見你！你怪我也無用了。情意相投，做了夫妻，如今好端端難道走開了？我與你情似泰山，恩同東海，誓同生死，可看日常夫妻之面，取我到下處，和你百年偕老，卻不是好！」

許宣被白娘子一騙，回嗔作喜，沉吟了半晌，被色迷了心膽，留連之意，不回下處，就在白娘子樓上歇了。次日，來上河五條巷王公樓家，對王公說：「我的妻子同丫鬟從蘇州來到這城。」一一說了，道：「我如今搬回來一處過活。」王公道：「此乃好事，如何用說。」當日把白娘子同青青搬來王公樓上。次日，點茶請鄰舍。第三日，鄰舍又與許宣接風。酒筵散了，鄰舍各自回去，不在話下。第四日，許宣早起梳洗已罷，對白娘子說：「我去拜謝東西鄰舍，去做買賣去也。你同青青只在樓上照管，切勿出門！」吩咐已了，自到店中做買賣，早去晚回。

不覺光陰迅速，日月如梭，又過一月。忽一日，許宣與白娘子商量，去見主人李員外媽媽家眷。

白娘子道：「你在他家做主管，去參見了他，也好日常走動。」到次日，僱了轎子，逕進裡面請白娘子上了轎。叫王公挑了盒兒，丫鬟青青跟隨，一齊來到李員外家。下了轎子，進到裡面，請員外出來。李克用連忙來見，白娘子深深道個萬福，拜了兩拜，媽媽也拜了兩拜，內眷都參見了。原來李克用年紀雖然高大，卻專一好色，見了白娘子有傾國之姿，正是：

三魂不附體，七魄在他身。

那員外目不轉睛，看白娘子。當時安排酒飯管待。媽媽對員外道：「好個伶俐的娘子！十分容貌，溫柔和氣，本分老成。」員外道：「便是杭州娘子生得俊俏。」飲酒罷了，白娘子相謝自回。李克用心中思想：「如何得這婦人共宿一宵？」眉頭一簇，計上心來，道：「六月十三是我壽誕之日，不要慌，教這婦人著我一個道兒。」不覺烏飛兔走，才過端午，又是六月初間，那員外道：「媽媽，十三日是我壽誕，可做一個筵席，請親眷朋友閒耍一日，也是一生的快樂。」當日親眷鄰友主管人等，都下了請帖。次日，家家戶戶都送燭面手帕物件來。十三日都來赴筵，吃了一日。次日是女眷們來賀壽，也有廿來個。且說白娘子也來，十分打扮，上著青織金衫兒，下穿大紅紗裙，戴一頭百巧珠翠金銀首飾。帶了青青，都到裡面拜了生日，參見老安人。東閣下排著筵席。原來李克用是吃蝨子留後腿的人，因見白娘子容貌，設此一計，大排筵席。各各傳杯弄盞，酒至半酣，卻起身脫衣淨手。李員外原來預先吩咐心腹養娘道：「若是白娘子登東，他要進去，你可另引他到後面僻淨房內去。」李員外設計已定，先自躲在後面。正是：

不勞鑽穴逾牆事，穩做偷香竊玉人。

只見白娘子眞個要去淨手，養娘便引他到後面一間僻淨房內去。養娘自回，那員外心中淫亂，捉身不住，不敢便走進去，卻在門縫裡張。不張萬事皆休，則一張那員外大吃一驚，回身便走，來到後邊望後倒了。

不知一命如何，先覺四肢不舉！

那員外眼中不見如花似玉體態，只見房中蟠著一條吊桶來粗大白蛇，兩眼一似燈盞，放出金光來。驚得半死，回身便走，一絆一跤。眾養娘扶起看時，面青口白。主管慌忙用安魂定魄丹服了，方才醒來。老安人與眾人都來看了道：「你爲何大驚小怪做甚麼？」李員外不說其事，說道：「我今日起得早了，連日又辛苦了些，頭風病發暈倒了。」扶去房裡睡了。

眾親眷再入席飲了幾杯，酒筵散罷，眾人作謝回家。白娘子回到家中思想，恐怕明日李員外在鋪中對許宣說出本相來。便生一條計，一頭脫衣服，一頭歎氣。許宣道：「今日出去吃酒，因何回來歎氣？」白娘子道：「丈夫，說不得！李員外原來假做生日，其心不善。因見我起身登東，他躲在裡面，欲要奸騙我，扯裙扯褲，來調戲我。欲待叫起來，眾人都在那裡，怕妝幌子。被我一推倒地，他怕羞沒意思，假說暈倒了。這惶恐那裡出氣！」許宣道：「既不曾奸騙你，他是我主人家，出於無奈，只得忍了。這遭休去便了。」白娘子道：「你不與我做主，還要做人？」許宣道：「先前多承姐夫寫書，教我投奔他家。虧他不阻，收留在家做主管。如今教我怎的好？」白娘子道：「男子漢！我被他這般欺負，你還去他家做主管？」許宣道：「你教我何處去安身？做何生理？」白娘子道：「做人家主管，也是下賤之事。不如自開一個生藥鋪。」許宣道：「虧你說，只是那討本錢？」白娘子道：「你放心，這個容易。我明日把些銀子，你先去賃了間房間卻又說話。」且說「今是古，古是今」，各處有這等出熱的。間壁有一個人，姓蔣名和，一生出熱好事。次日，許宣問白娘子討了些銀子，教蔣和去鎮江渡口馬頭上，賃了一間房子，買下一付生藥廚櫃，陸續收賣生藥。十月前後，俱已完備，選日開張藥店，不去做主管。

那李員外也自知惶恐，不去叫他。

許宣自開店來，不匡買賣一日興一日，普得厚利。正在門前賣生藥，只見一個和尚將著一個募緣薄子道：「小僧是金山寺和尚，如今七月初七日是英烈龍王生日，伏望官人到寺燒香，佈施些香錢！」許宣道：「不必寫名，我有一塊好降香，舍與你拿去燒罷。」即便開櫃取出遞與和尚。和尚接了道：「是日望官人來燒香！」打一個問訊去了。白娘子看見道：「你這殺才，把這一塊好香與那賊禿去換酒肉吃！」許宣道：「我一片誠心舍與他，花費了也是他的罪過。」不覺又是七月初七日，許宣正開得店，只見街上鬧熱，人來人往。幫閒的蔣和道：「小乙官前日佈施了香，今日何不去寺內閒走一遭？」許宣道：「我收拾了，略待略待，和你同去。」蔣和道：「小人當得相伴。」許宣連忙收拾了，進去對白娘子道：「我去金山寺燒香，你可照管家裡則個。」白娘子道：「『無事不登三寶殿』，去做甚麼？」許宣道：「一者不曾認得金山寺，要去看一看；二者前日佈施了，要去燒香。」白娘子道：「你既要去，我也擋你不得，只要依我三件事。」許宣道：「那三件？」白娘子道：「一件，不要去方丈內；二件，不要與和尚說話；三件，去了就回。來得遲，我便來尋你也。」許宣道：「這個何妨，都依得。」

當時換了新鮮衣服鞋襪，袖了香盒，同蔣和逕到江邊，搭了船，投金山寺來。先到龍王堂燒了香，繞寺閒走了一遍，同眾人信步來到方丈門前。許宣猛省道：「妻子吩咐我休要進方丈內去。」立住了腳，不進去。蔣和道：「不妨事，他自在家中，回去只說不曾去便了。」說罷，走入去，看了一回，便出來。且說方丈當中座上，坐著一個有德行的和尚，眉清目秀，圓頂方袍，看了模樣，的是眞僧。一見許宣走過，便叫侍者：「快叫那後生進來。」侍者看了一回，人千人萬，亂滾滾的，又不記得他，回說：「不知他走那邊去了？」和尚見說，持了禪杖，自出方丈來，前後尋不見，復身出寺來看，只見眾人都在那裡等風浪靜了落船。那風浪越大了，道：「去不得。」

正看之間，只見江心裡一隻船飛也似來得快。許宣對蔣和道：「這般大風浪過不過渡，那只船如何到來得快？」正說之間，船已將近。看時，一個穿白的婦人，一個穿青的女子來到岸邊，仔細一認，正是白娘子和青青兩個，許宣這一驚非小。白娘子來到岸邊，叫道：「你如何不歸？快來上船！」許宣卻欲上船，只聽得有人在背後喝道：「業畜在此做甚麼？」許宣回頭看時，人說道：「法海禪師來了！」禪師道：「業畜，敢再來無禮，殘害生靈！老僧爲你特來。」白娘子見了和尚，搖開船，和青青把船一翻，兩個都翻下水底去了。許宣回身看著和尚便拜：「告尊師，救弟子一條草命！」禪師道：「你如何遇著這婦人？」許宣把前項事情從頭說了一遍。禪師聽罷道：「這婦人正是妖怪，汝可速回杭州去。如再來纏汝，可到湖南淨慈寺裡來尋找。有詩四句：

本是妖精變婦人，西湖岸上賣嬌聲；
汝因不識遭他計，有難湖南見老僧。

許宣拜謝了法海禪師，同蔣和下了渡船，過了江，上岸歸家。白娘子同青青都不見了，方才信是妖精。到晚來，教蔣和相伴過夜，心中昏悶，一夜不睡。次日早起，叫蔣和看著家裡，卻來到針子橋李克用家，把前項事情告訴了一遍。李克用道：「我生日之時，他登東，我撞將去，不期見了這妖怪，驚得我死去，我又不敢與你說這話。既然如此，你且搬來我這裡住著，別作道理。」許宣作謝了李員外，依舊搬到他家。

不覺住過兩月有餘。

忽一日立在門前，只見地方總甲吩咐排門人等，俱要香花燈燭，迎接朝廷恩赦。原來是宋高宗策立孝宗，降赦通行天下，只除人命大事，其餘小事，盡行赦放回家。許宣遇赦，歡喜不勝，吟詩一首，詩云：

感謝吾皇降赦文，網開三面許更新；
死時不作他邦鬼，生日還不舊土人。
不幸逢妖愁更甚，何期遇宥罪除根？
歸家滿把香焚起，拜謝乾坤再造恩。

許宣吟詩已畢，央李員外衙門上下打點使用了錢，見了大尹，給引還鄉。拜謝東鄰西舍，李員外媽媽合家大小，二位主管，俱拜別人。央幫閒的蔣和買了些土物帶回杭州。來到家中，見了姐夫姐姐，拜了四拜。李募事見了許宣焦躁道：「你好生欺負人，我兩遭寫書教你投托人，你在李員外家娶了老小，不直得寄封書來教我知道，直恁的無仁無義！」許宣說：「我不曾娶妻小。」姐夫道：「見今兩日前，有一個婦人帶著一個丫鬟，道是你的妻子。說你七月初七日去金山寺燒香，不見回來。那裡不尋到，直到如今，打聽得你回杭州，同丫鬟先到這裡等你兩日了。」教人叫出那婦人和丫鬟見了許宣。許宣看見，果是白娘子、青青。許宣見了，目睜口呆，吃了一驚。不在姐夫姐姐面前說這話本，只得任他埋怨了一場。李募事教許宣共白娘子去一間房內去安身。

許宣見晚了，怕這白娘子，心中慌了，不敢向前，朝著白娘子跪在地下道：「不知你是何神何鬼？可饒我的性命！」白娘子道：「小乙哥是何道理？我和你許多時夫妻，又不曾虧負你，如何說這等沒力氣的話。」許宣道：「自從和你相識之後，帶累我吃了兩場官司。我到鎮江府，你又來尋我。前日金山寺燒香，歸得遲了，你和青青又直趕來。見了禪師，便跳下江裡去了。我只道你死了，不想你又先到此，望乞可憐見饒我則個！」白娘子圓睜怪眼道：「小乙官，我也只是爲好，誰想倒成怨本！我與你平生夫婦，共枕同衾，許多恩愛，如今卻信別人閒言語，教我夫妻不睦。我如今實對你說，若聽我言語喜喜歡歡，萬事皆休；若生外心，教你滿城皆爲血水，人人手攀洪浪，腳踏渾波，皆死於非命。」驚得許宣戰戰兢兢，半晌無言可答，不敢走近前去。青青勸道：「官人，娘子愛你杭州人生得好，又喜你恩情深重。聽我說，與娘子和睦了，休要疑慮。」許宣吃兩個纏不過，叫道：「卻是苦耶！」只見姐姐在天井裡乘涼，聽得叫苦，連忙來到房前，只道他兩個兒廝鬧，拖了許宣出來。

白娘子關上房門自睡。許宣把前因後事，一一對姐姐告訴了一遍。卻好姐夫乘涼歸房，姐姐道：「他兩口兒廝鬧了，如今不知睡了也未，你且去張一張了來。」李募事走到房前看時，裡頭黑了，半亮不亮。將舌頭舐破紙窗，不張萬事皆休，一張時，見一條弔桶來大的蟒蛇，睡在牀上，伸頭在天窗內乘涼，鱗甲內放出白光來，照得房內如同白日。吃了一驚，回身便走。來到房中，不說其事，道：「睡了，不見則聲。」許宣躲在姐姐房中不敢出頭，姐夫也不問他。

過一夜，次日，李募事叫許宣出去到僻靜處問道：「你妻子從何娶來？實實的對我說，不要瞞我！自昨夜親眼看見他是一條大白蛇，我怕你姐姐害怕，不說出來。」許宣把從頭事，一一對姐夫說了一遍。

李募事道：「既是這等，白馬廟前，一個呼蛇戴先生，如法捉得蛇。我同你去接他。」二人取路來到白馬廟前，只見戴先生正立在門口。二人道：「先生拜揖。」先生道：「有何見諭？」許宣道：「家中有一條大蟒蛇，相煩一捉則個！」先生道：「宅上何處？」許宣道：「過軍橋黑珠兒巷內李募事家便是。」取出一兩銀子道：「先生收了銀子，待捉得蛇另又相謝。」先生收了道：「二位先回，小子便來。」李募事與許宣自回。那先生裝了一瓶雄黃藥水，一直來到黑珠兒巷內，問李募事家。人指道：「前面那樓子內便是。」先生來到門前，揭起簾子，咳嗽一聲，並無一個人出來。敲了半晌門，只見一個娘子出來問道：「尋誰家？」先生道：「此是李募事家第？」小娘子道：「便是。」先生道：「說宅上有一條大蛇，卻才二位官人來請小子捉蛇。」小娘子道：「我家那有大蛇？你差了。」先生道：「官人先與我一兩銀子，說捉了蛇後，有重謝。」白娘子道：「沒有，休信他們哄你。」先生道：「如何作耍？」白娘子三回五次發落不去，焦躁起來，「你眞個會捉蛇？只怕你捉它不得！」戴先生道：「我祖宗七八代呼蛇捉蛇，量道一條蛇有何難捉！」娘子道：「你說捉得，只怕你見了要走！」先生道：「不走，不走！如走，罰一錠白銀。」娘子道：「隨我來。」到天井內，那娘子轉個彎，走進去了。那先生手中提著瓶兒，立在空地上。不多時，只見颳起一陣冷風，風過處，只見一條弔桶來大的蟒蛇，速射將來，正是：

人無害虎心，虎有傷人意。

且說那戴先生吃了一驚，望後便倒，雄黃罐兒也打破了。那條大蛇張開血紅大口，露出雪白齒，來咬先生。先生慌忙爬起來，只恨爹娘少生兩腳，一口氣跑過橋來，正撞著李募事與許宣。許宣道：「如何？」那先生道：「好教二位得知，……」把前項事，從頭說了一遍。取出那一兩銀子付還李募事道：「若不生這雙腳，連性命都沒了。二位自去照顧別人。」

急急的去了。許宣道：「姐夫，如今怎麼處？」李募事道：「眼見實是妖怪了，如今赤山埠前張成家欠我一千貫錢。你去那裡靜處，討一間房兒住下。那怪物不見了你，自然去了。」許宣無計可奈，只得應承。同姐夫到家時，靜悄悄的沒些動靜。

李募事寫了書帖，和票子做一封，教許宣往赤山埠去。只見白娘子叫許宣到房中道：「你好大膽，又叫甚麼捉蛇的來！你若和我好意，佛眼相看，若不好時，帶累一城百姓受苦，都死於非命！」許宣聽得，心寒膽戰，不敢則聲。將了票子，悶悶不已，來到赤山埠前，尋著了張成。隨即袖中取票時，不見了。只叫得苦，慌忙轉步，一路尋回來時，那裡見。

正悶之間，來到淨慈寺前，忽地裡想起那金山寺長老法海禪師曾吩咐來：「倘若那妖怪再來杭州纏你，可來淨慈寺內來尋我。如今不尋，更待何時。」急入寺中，問監寺道：「動問和尚，法海禪師曾來上剎也未？」那和尚道：「不曾到來。」許宣聽得說不在，越悶。折身便回來長橋堍下，自言自語道：「『時衰鬼弄人』，我要性命何用？」看著一湖清水，卻待要跳！正是：

閻王判你三更到，定不容人到四更。

許宣正欲跳水，只聽得背後有人叫道：「男子漢何故輕生？死了一萬口，只當五千雙，有事何不問我！」許宣回頭看時，正是法海禪師。背馱衣缽，手提禪杖，原來眞個才到。也是不該命盡，再遲一碗飯時，性命也休了。許宣見了禪師，納頭便拜，道：「救弟子一命則個！」禪師道：「這業畜在何處？」

許宣把上項事一一訴了。道：「如今又直到這裡，求尊師救度一命。」禪師於袖中取出一個缽盂，遞與許宣道：「你若到家，不可教婦人得知，悄悄的將此物劈頭一罩，切勿手輕，緊緊的按住，不可心慌，你便回去。」且說許宣拜謝了禪師回家，只見白娘子正坐在那裡，口內喃喃的罵道：「不知甚人挑撥我丈夫和我做冤家，打聽出來，和他理會！」正是有心等了沒心的，許宣張得他眼慢，背後悄悄的，望白娘子頭上一罩，用盡平生氣力納住。不見了女子之形，隨著缽盂慢慢的按下，不敢手鬆，緊緊的按住。只聽得缽盂內道：「和你數載夫妻，好沒一些兒人情！略放一放！」

許宣正沒了結處，報道：「有一個和尚，說道：『要收妖怪。』」許宣聽得，連忙教李募事請禪師進來。來到裡面，許宣道：「救弟子則個！」不知禪師口裡念的甚麼，念畢，輕輕的揭起缽盂，只見白娘子縮做七八寸長，如傀儡人像，雙眸緊閉，做一堆兒，伏在地下。禪師喝道：「是何業畜妖怪，怎敢纏人？可說備細！」

白娘子答道：「禪師，我是一條大蟒蛇。因爲風雨大作，來到西湖上安身，同青青一處。不想遇著許宣，春心蕩漾，按納不住，一時冒犯天條，卻不曾殺生害命。望禪師慈悲則個！」

禪師又問：「青青是何怪？」白娘子道：「青青是西湖內第三橋下潭內千年成氣的青魚。一時遇著，拖他爲伴，他不曾得一日歡娛，並望禪師憐憫！」禪師道：「念你千年修煉，免你一死，可現本相！」白娘子不肯。禪師勃然大怒，口中唸唸有詞，大喝道：「揭諦何在？快與我擒青魚怪來，和白蛇現形，聽吾發落！」

須臾庭前起一陣狂風。風過處，只聞得豁刺一聲響，半空中墜下一個青魚，有一丈多長，向地撥刺的連跳幾跳，縮做尺餘長一個小青魚。看那白娘子時，也復了原形，變了三尺長一條白蛇，兀自昂頭看著許宣。禪師將二物置於缽盂之內，扯下褊衫一幅，封了缽盂口，拿到雷峰寺前，將缽盂放在地下，令人搬磚運石，砌成一塔。後來許宣化緣，砌成了七層寶塔。

千年萬載，白蛇和青魚不能出世。且說禪師押鎮了，留偈四句：

西湖水乾，江湖不起，雷峰塔倒，白蛇出世。

法海禪師言偈畢，又題詩八句以勸後人：

奉勸世人休愛色！愛色之人被色迷。
心正自然邪不擾，身端怎有惡來欺？
但看許宣因愛色，帶累官司惹是非。
不是老僧來救護，白蛇吞了不留些。

法海禪師吟罷，各人自散。惟有許宣情願出家，禮拜禪師為師，就雷峰塔披剃為僧。修行數年，一夕坐化去了。眾僧買龕燒化，造一座骨塔，千年不朽。臨去世時，亦有詩八句，留以警世，詩曰：

祖師度我出紅塵，鐵樹開花始見春；
化化輪回重化化，生生轉變再生生。
欲知有色還無色，須識無形卻有形；
色即是空空即色，空空色色要分明。

杜子春

芥川龍之介

1

某年春天黃昏。

唐朝京城洛陽西門下，有個年輕人心不在焉地仰望著天空。

年輕人名叫杜子春，本來是富家弟子，現在因蕩盡家財，淪落成過一天算一天的落魄漢。

當時的洛陽，極爲昌盛，是個天下無可匹比的京畿，大道上車水馬龍，人潮熙來攘往。在如亮油般照映在西門上的夕陽光輝中，可見老人的羅沙帽、土耳其女人的金耳環、裝飾在白馬上的彩絲羈繩，都在不斷流動，那景象美得像一幅畫。

但是，杜子春依然將身子靠在西門牆壁上，心不在焉地眺望著天空。天空上，細長的月亮，宛如指甲痕跡，幽白地浮睡在繚繞的霧靄中。

「天暗了，肚子也餓了，而且不管到哪裡，大概都找不到今晚能容身的地方了……與其這樣活著，不如乾脆跳河自殺要快活點吧。」

杜子春從剛剛起就一直如此漫無邊際地思索著。

然後有個不知從何處冒出來的獨眼老人，停頓在他面前。他沐浴著夕陽餘輝，將長長的影子刻印在門上，一直凝視著杜子春的臉。

「你在想什麼？」老人趾高氣揚地問。
「我嗎？我在想，今晚沒地方睡，不知該怎麼辦。」
由於老人問得很唐突，杜子春不禁俯下眼皮，率直地回答。
「原來如此。那太可憐了。」
老人思考了一陣子，然後伸手指著映射在大道上的夕陽餘輝道：
「那麼我告訴你一件好事。如果你現在站在夕陽中發現地上能照映出你的影子，今晚半夜時就挖挖你影子的頭部地方。一定會有滿車的黃金埋在那裡的。」
「眞的？」
杜子春聽後大吃一驚，揚起一直俯下著的眼皮。不可思議的是，那老人已不知去向，週遭也不見他的影子。只是，掛在上空的月亮比先前更皓潔，往來不息的行人道上，已有兩三隻性急的蝙蝠在翩翩飛舞著。

2

杜子春在一夜之間，化身爲洛陽獨一無二的大富翁。因爲他眞得聽從那老人的話，於夜半悄悄挖掘夕陽映照出的影子頭部，挖出了一堆比一輛大車更多的黃金。
變成暴發戶的杜子春，馬上買了一棟豪華的房屋，開始過著不比玄宗皇帝遜色的奢侈生活。買蘭陵的美酒啦、桂州的龍眼啦、在庭院內栽植日易四色的牡丹啦、飼養幾隻白孔雀啦、收集寶玉啦、剪裁錦繡啦、製造香木的車子啦、訂製象牙椅子啦，若要詳細述說他的奢侈，那這個故事是永遠都無法結束的。

一些平日在路上遇見也形同陌路人的朋友們，在聽聞杜子春致富的消息後，不管朝晚都來找杜子春玩了。而且人數日漸增多，半年過後，所有洛陽聞名的才子與美女，幾乎沒有一個不是杜子春的座上客。杜子春每天陪著這些客人舉行盛宴，而且酒宴盛大得無可比擬。隨便舉個例子來說，當杜子春在金杯斟滿來自西洋的葡萄酒，出神觀看著印度魔術師表演吞刀特技時，他身邊就環繞著有二十個女人，其中十個在髮上插飾著翡翠蓮花，十個在髮上插飾著瑪瑙牡丹花，吹彈著曲調輕快的笛歌與古箏。

只是，再如何富有的大富翁，金錢總是有止境的，奢華如杜子春者，一年兩年過去後，也逐漸開始捉襟見肘起來。等他把錢用盡後，才瞭解人心的薄情寡義，直至昨天還天天來報到的人，今天路過門前竟也懶得進來打聲招呼了。到了第三年春天，當杜子春又恢復成一文不名的窮小子時，廣闊的洛陽，竟找不到一家肯讓他借宿過夜的人家。別說是借宿，甚至連施捨一杯水的人家都找不到。

於是，某日黃昏，杜子春再度逛到洛陽西門下，呆然地眺望著天空，不知何去何從。

然後那個獨眼老人也跟往昔一般，不知從何處又現身出來。

「你在想什麼？」

杜子春一看到老人，即慚愧地低下頭，說不出話來。只是，老人這天也親切地反覆問了同樣的話，他只好又一次誠惶誠恐地答道：

「因爲我今天沒地方可睡，不知該怎麼辦？」

「原來如此，那太可憐了。那麼我告訴你一個好辦法。現在你站到夕陽下，若你的影子映照在地上，你便趁著夜間挖掘影子胸部的地方，那裡一定埋藏有滿車子的黃金。」

老人說完，又瞬間消失在人潮中。

翌日，杜子春又於一夜之間變成洛陽獨一無二的大富翁。同時也開始過他爲所欲爲的奢華日子。種植在庭院的牡丹花、沉睡在牡丹花中的白孔雀、來自印度會表演吞刀的魔術師……一切如從往昔。

因此他挖掘出的那些滿車數不盡的黃金，經過三年後，便蕩然無存了。

3

「你在想什麼？」

獨眼老人第三次來到杜子春面前，又向他發出同樣的問話。此時的杜子春，當然又是呆呆佇立在西門下，眺望著幽幽穿射晚霞的月牙。

「我嗎？我今晚沒地方可睡，正在想著該怎麼辦？」

「原來如此，那眞是可憐。那麼我告訴你一個好辦法。現在你站到夕陽下，若你的影子映照在地上，你便趁著夜間挖掘影子肚子的地方，那一定埋藏有滿車子的……」

「不，我不要錢了。」

「不要錢了？哈哈，那麼你已經厭倦奢華日子了？」

老人以詫異的眼神，凝視著杜子春。

「不，我不是厭倦了奢華日子，而是厭煩了人這個東西。」

杜子春現出憤怒的神色，冷淡地回答。

「有趣！有趣！你爲什麼厭煩起人了？」

「人都是薄情寡義的。當我是個富豪時，他們拼命奉承、阿諛，一旦變得貧窮，連個笑臉都不肯賞。想到這點，即使再度變成富豪，又有什麼用呢？」

老人聽杜子春如此說，忽然嘻嘻笑了起來。

「原來如此。沒想到你這麼年輕，竟然懂得這些道理。那麼，你今後是想安然過著貧窮的生活了？」

杜子春躊躇了一會兒。不過，馬上斷然抬起眼睛，申訴似地望著老人。

「我現在已無法再過貧窮生活了，所以我想做您的徒弟，修行仙術。您不用隱瞞了，您是個道高德隆的神仙吧！如果不是神仙，您絕對不可能讓我在一夜之間變成天下第一的富豪的。請您當我的師傅，傳授那不可思議的仙術給我吧！」

老人顰著眉，像在考慮什麼似地，然後莞爾笑著。

「不錯，我叫鐵冠子，是住在峨嵋山的仙人。最初看到你時，覺得你是個懂道理的人，所以才兩次讓你成爲大富翁。如果你眞渴望做仙人，我就收你爲徒弟好了。」

杜子春當然喜出望外。老人話未說完，即匍匐在地上，向鐵冠子叩了幾個響頭。

「你不用那麼道謝。雖然我收你爲徒弟，但你能否成爲出色的仙人，還在於你自己……總之，你先跟我到峨嵋山深處來再說吧。哦，恰好地上有一根竹杖，咱們現在就騎著這根竹杖飛越天空吧。」

鐵冠子拾起地上那根青竹，口裡念著咒文，和杜子春一起如騎馬般跨上那根青竹。

結果眞是不可思議，竹杖立即像一條飛龍般，猛烈地衝上天空，翱翔在晴朗的春日夕陽中，一路往峨嵋山方向飛去。

杜子春心驚膽戰，畏縮地俯瞰著腳下。只見青色的山巒隱藏在夕陽餘輝中，那個洛陽西門（大概早已堙沒在晚霞了），已無影無蹤了。一會兒，鐵冠子讓風吹拂著蒼白的鬢髮，引吭高歌起來。

朝遊北海暮蒼梧
袖裡青蛇膽氣粗

三入岳陽人不識
郎吟飛過洞庭湖

4

載著兩人的青竹，不久飄落在峨嵋山。

青竹落在一塊俯臨深谷的廣闊岩石上，可能高度甚高，懸掛在半空中的北斗星，看起來竟有飯碗般大小，正閃爍著光芒。本來就是人跡罕見的深山，周遭當然靜寂無聲。唯一幽幽飄入耳裡的，是彎彎曲曲生長在岩後懸崖上的一株松樹，隨著夜風晃動枝葉的沙沙響聲。

兩人來到岩石上後，鐵冠子讓杜子春坐在懸崖下，對他說：

「我要上天去拜謁王母，你就坐在這兒等我回來。我不在時，可能會有各種妖怪出現要誘騙你，不過，不管發生什麼事，你絕對不能開口說話，只要你開口說一句話，你便不能變成仙人。懂嗎？總之不管再如何天崩地裂，你都得保持沉默。」

「您放心，我絕對不會出聲。即使要我的命，我也會保持沉默的。」

「是嗎？聽你這樣說，我就放心了。好，我走了。」

老人跟杜子春告別后，又跨上竹杖，飛向在夜裡也能看得出陡峭山巒的上空，筆直消失了。

杜子春獨自坐在岩石上，靜靜地眺望著星空。約莫過了半小時，深山的夜氣涼颼颼穿透單薄衣服時，突然上空傳來叱罵的聲音。

「誰在那裡？」

不過，杜子春遵從仙人的關照，不開口回答。

豈知，不一會兒，又響起同樣的聲音。

「不回答的話，立即要你的命！」那個聲音嚴厲地恐嚇著。

杜子春當然還是沉默著。

剎時，一隻不知從何處攀上的老虎，眼光炯炯地跳躍到岩石上，對著杜子春怒目而視，仰頭咆哮了一聲。不但如此，頭上的松枝也同時激烈地左右搖晃，後面懸崖頂上，又出現一條四斗大的白蛇，伸吐著火焰般的紅舌，一步步逼近來了。

但，杜子春依然穩如泰山地端坐著。

老虎和蛇，如搶食一個食餌般，彼此窺視、對峙著一會兒。然後，幾乎是同時撲上杜子春。就在杜子春不知會被老虎牙撕裂，或被白蛇吞噬，小命即將嗚呼哀哉時，老虎和白蛇竟如煙霧一般，隨著夜風消失了。之後，只見懸崖上的松樹仍和先前一樣，搖晃著樹枝沙沙作響。杜子春舒了一口氣，暗中期盼著再度將會發生的事。

這時，一陣風吹起，如黑墨般的烏雲籠罩上空，淡紫色的閃電冷不防撕裂黯夜，雷聲隆隆作響。不，不只是雷聲，瀑布般的豪雨也同時猛然嘩嘩傾瀉下來。杜子春在這種天崩地裂的處境中，依然面無懼色地端然坐著。風聲、飛濺的雨滴、無休無止的閃電光……峨嵋山一時似乎將傾覆了。然後突然響起一陣震耳欲聾的霹靂聲，只見一道深紅的火柱，從上空的烏雲漩渦中筆直落在杜子春的頭上。

杜子春不覺堵住耳朵，匍伏在岩石上。但他隨即睜開眼睛，發現天空依然晴朗，飯碗大的北斗星，也依然聳峙在前方的山巒上，閃閃發光著。看來，方才的暴風雨，老虎和白蛇，都是些趁鐵冠子不在時出來作祟的妖怪罷了。想通後，杜子春這才放心地揩去額上的冷汗，再坐正在岩石上。

只是，就在他噓聲尚未吐完，一個身穿金鎧甲、身高足有三丈、神態肅穆的神將又出現在他面前。神將手持三叉利戟，不容分說就將戟尖指向杜子春的胸膛，怒目瞪眼地叱罵著：

「喂！你到底是誰？這個峨嵋山從天地開闢以來，即是我居住的地方。你竟膽敢獨自跑到這裡，看來你一定不是個普通人物，若不想死，趕快說明原由。」

不過，杜子春仍是遵照老人的話，緘口不語。

「不答話……是吧。好，不想答就不答，隨你便。可是你要知道我那些眾小嘍囉是會把你能剁成肉醬的。」

神將高舉三叉戟，向對面的山巒上空呼喚。剎時，黑暗的夜空裂成兩半，無數的神兵如烏雲般佈滿天空，而且手上都閃耀著槍刀，好像即將要斬殺過來般。

杜子春眼見這個景象，情不自禁想叫出聲，但又想起鐵冠子的話，只好拼命緊抿著嘴。神將看他紋風不動，大發雷霆。

「你這個頑固的家伙！再不答話，眞要你的命了！」

神將說時遲那時快，三叉戟一閃，即一刺戳死了杜子春。然後發出連峨嵋山都會搖搖欲墜的朗笑，消失無蹤。當然，那些無數的神兵，也隨著響徹四周的夜風聲，如夢一般消失無蹤了。

北斗星又冷森森地映照在岩石上。懸崖上的松樹依然搖晃著樹枝沙沙作響。但，杜子春早已氣絕地仰躺在地上。

5

杜子春的身軀雖仰躺在岩石上，可是，他的靈魂卻靜靜地脫離了軀體，降落到地獄底層了。

這個世界與地獄之間，有一條叫做暗穴道的路，那裡終年都處於黑暗中，四周刮嘯著冰雪一般冷冽的烈風。杜子春如同一片樹葉，在烈風中飄飄蕩蕩，最後飄到一座掛著『森羅殿』橫匾的巍峨殿宇。

殿堂前一群鬼嘍囉，一見到杜子春，趕忙圍住他，把他押到台階之前。台階上有個身穿深黑色衣袍、頭戴著金王冠的閻羅王，威武地睥睨著四周。杜子春心想，這大概就是那個眾所皆知的閻羅王，再想到不知將會遭遇些什麼事，只好戰戰兢兢地跪下來。

「小子，你為什麼坐在峨嵋山上？」

閻羅王的聲音如雷聲般，自台階上傳下來。杜子春本想馬上開口回答，但又想起『絕對不能開口』這句鐵冠子的誡語，只好又低垂著頭，啞巴一般緘默著。

閻羅王揚起手中的鐵笏，倒豎著臉上的鬍鬚，盛氣凌人地怒吼：

「你以為此處是什麼地方？快快回答，否則，我就讓你立即嚐嚐地獄的苦刑。」

可是，杜子春依然緊抿著嘴。閻羅王見狀，轉頭向眾嘍囉們粗聲厲氣吩咐了什麼。眾嘍囉們站直身子，再一把抓起杜子春，飛往森羅殿的上空。

正如眾所皆知一樣，地獄裡除了刀山與血池外，還有火焰之谷的焦熱地獄和冰海的極寒地獄，並排在黝黑的天空下。眾嘍囉們將杜子春一次又一次地拋往種種地獄裡。可憐的杜子春，不但被劍刺穿胸膛、被火焰燒焦臉頰、被拔掉舌頭、被剝掉皮、被鐵杵搗錘、被放在油鍋裡炸、被毒蛇吞噬腦漿、被雄鷹啄食雙眼……

若要一一數說他所遭受的痛苦，那眞是不勝枚舉，總之，他遭受了所有的痛苦。盡管如此，杜子春依然倔強地咬緊牙根，緊抿著嘴不說一句話。

這使眾嘍囉們目瞪口呆，啞口無言。於是又一次挾持著杜子春飛過暗夜般的天空，來到森羅殿之前，再把杜子春拖拉到台階下，向殿堂上的閻羅王齊聲奏道：

「這個罪人，無論如何都不肯說話。」

閻羅王皺著眉思索片刻，然後靈機一動，吩咐道：

「這個男子的父母一定被判下了畜牲道，你們馬上把他們押到這裡來。」

眾嘍囉們頓時乘風飛往地獄的上空，然後再如流星般驅趕著兩匹獸，降落到森羅殿前。杜子春看到這兩匹獸，大吃一驚。因爲那雖說是兩匹形影寒愴的瘦馬，臉孔卻是連做夢也忘不了的雙親容貌。

「小子，你爲何坐在峨嵋山上？快從實招來！不然，這次就要讓你的父母嚐嚐痛苦的滋味了。」

杜子春雖如此被恐嚇著，但仍不出聲。

「你這個不孝子！你爲了自己的立場，就忍心讓父母承受痛苦嗎？」

閻羅王怒聲大罵，聲音洪亮得森羅殿要崩坍似的。

「打！嘍囉們！把這兩匹畜牲打得肉爛骨碎！」

眾嘍囉們齊聲道『是』，手執鐵鞭站起來，毫不容情地從四面八方鞭打起兩匹馬。鐵鞭『嘶』、『嘶』地鳴響著，如雨一般紛紛落在兩匹馬身上，把馬打得皮開肉綻。馬……淪落成畜牲的父母，痛苦地扭曲著身子，血淚盈眶，慘不忍睹地嘶叫著。

「怎樣？你還不肯招認嗎？」

閻羅王暫時讓眾嘍囉們停止鞭打，再一次催促杜子春回答。這時，兩匹馬已經肉爛骨碎，奄奄一息地倒臥在台階之前。

杜子春緊閉著雙眼，拼命想著鐵冠子的話。這時他耳邊傳來微弱的、勉強可聽出是聲音的唏噓：

「你不用擔心，不管我們會變得怎樣，只要你能幸福，那是最好不過的。大王再怎麼逼，只要你不願開口，你就沉默著吧。」

這聲音，確實是那久違的母親的聲音啊！杜子春情不自禁睜開眼。他看見一匹馬無力地倒在地上，悲切地深深凝望著他的臉。母親在這種水深火熱的痛苦中，仍眷顧著兒子的心，對於被鞭打的事，完全沒有一絲怨懟之情。這和那些當你是大富翁時，便來阿諛你，當你是一文不名的窮光蛋時，便不理睬你的世人比起來，是多麼難得的溫情，又是多麼堅韌的決心呵！杜子春忘了老人的警戒，蹣跚奔至老馬身邊，雙手環抱著瀕死的老馬脖子，淚珠涔涔地喊了一聲：

「娘！」……

6

杜子春被自己的聲音驚醒，回過神來，才發現自己仍然沐浴著一身夕暉，呆然地佇立在洛陽西門下。煙霞渺渺的天空，白色的月牙，川流不息的車水馬龍……

一切都和未到峨嵋山時一樣。

「怎麼樣？你即使成爲我的徒弟，也很難成爲仙人吧？」獨眼老人微笑著。

「不能。不過雖不能成爲仙人，我反而慶幸自己沒有成爲仙人。」

杜子春眼裡依然噙著淚水，衝動地握住老人的手：

「即使能成爲仙人，我在那地獄的森羅殿之前，看著父母苦捱著鞭打，我也是無法保持沉默的。」

「如果你還保持沉默的話……」

鐵冠子突然很嚴肅地凝望著杜子春：

「如果你還保持沉默的話，我打算當下就斷絕你的命根子……你大概已經不想再當神仙了吧。至於大富翁，你也早就厭膩了。那麼，你以後想當什麼呢？」

「不管當什麼，我都打算做個眞實的人，過著眞正的生活。」

杜子春的聲音，充滿一種至今爲止從未出現過的爽朗口吻。

「好，不要忘記你現在說的這句話。那，從今天起，我不會再跟你見面了。」

鐵冠子一邊說著，一邊跨開腳步，然後突然又停住腳步，回頭望著杜子春，彷彿不勝愉快地拋下一句：

「喔，對了，我剛想起，我在泰山南麓有一間房屋。那房屋和田地都一起送給你，你馬上去住吧。現在這個時節，那屋子四周，大概已開滿了桃花吧！」

——大正九年（一九二〇）六月

附錄

杜子春傳

李復言

【原文】

杜子春者，蓋周隋間人。少落魄，不事家產，以心氣閒縱，嗜酒邪遊。資產蕩盡，投於親故，皆以不事事之故見棄。方冬，衣破腹空，徒行長安中，日晚未食，彷徨不知所往。於東市西門，飢寒之色可掬，仰天長吁。有一老人策杖於前，問曰：「君子何嘆？」春言其心，且憤其親戚之疏薄也，感激之氣，發於顏色。老人曰：「幾緡❶則豐用？」子春曰：「三五萬則可以活矣。」老人曰：「未也。」更言之：「十萬。」曰：「未也。」乃言「百萬」。亦曰：「未也。」曰：「三百萬。」乃曰：「可矣。」於是袖出一緡曰：「給子今夕，明日午時，俟子於西市波斯邸，愼無後期。」

及時，子春往，老人果與錢三百萬，不告姓名而去。子春既富，蕩心復熾，自以爲終

❶緡：成串的錢。一般每串一千文。

身不復羈旅也。乘肥衣輕，會酒徒，徵絲竹，歌舞於倡樓，不復以治生爲意。一二年間，稍稍而盡，衣服車馬，易貴從賤，去馬而驢，去驢而徒，倏忽如初。既而復無計，自嘆於市門。發聲而老人到，握其手曰：「君復如此，奇哉。吾將復濟子。幾緡方可？」子春慚不對。老人因逼之，子春愧謝而已。老人曰：「明日午時，來前期處。」子春忍愧而往，得錢一千萬。未受之初，發憤，以爲從此謀生。石季倫、猗頓小豎耳。錢既入手，心又翻然，縱適之情，又卻如故。不三四年間，貧過舊日。

復遇老人於故處，子春不勝其愧，掩面而走。老人牽裾止之曰：「嗟乎拙謀也。」因與三千萬，曰：「此而不痊，則子貧在膏肓矣。」子春曰：「吾落魄邪遊，生涯罄盡，親戚豪族，無相顧者，獨此叟三給我，我何以當之？」因謂老人曰：「吾得此，人間之事可以立，孤孀可以足衣食，於名教復圓矣。感叟深惠，立事之後，唯叟所使。」老人曰：「吾心也！子治生畢，來歲中元，見我於老君雙檜下。」子春以孤孀多寓淮南，遂轉資揚州，買良田百頃，塾中起甲第，要路置邸百餘間，悉召孤孀，分居第中。婚嫁甥侄，遷祔旅櫬❷，恩者煦之，讎者復之。既畢事，及期而往。

老人者方嘯於二檜之陰。遂與登華山雲臺峰。入四十里餘，見一居處，室屋嚴潔，非常人居。彩雲遙覆，鸞鶴飛翔。其上有正堂，中有藥爐，高九尺餘，紫焰光發，灼煥窗戶。玉女數人，環爐而立。青龍白虎，分據前後。其時日將暮，老人者，不復俗衣，乃黃

❷遷祔：祔，音ㄈㄨˋ，指華麗的裝束。櫬，音ㄔㄣˋ，指棺材。合指遷柩附葬。

冠絳帔❸士也。持白石三丸，酒一巵❹，遺子春，令速食之訖。取一虎皮鋪於內，西壁東向而坐，戒曰：「愼勿語。雖尊神惡鬼夜叉，猛獸地獄；及君之親屬，爲所囚縛，萬苦皆非眞實。但當不動不語耳，安心莫懼，終無所苦。當一心念吾所言。」言訖而去。子春視庭唯一巨甕，滿中貯水而已。道士適去，而旌旗戈甲，千乘萬騎，遍滿崖谷，呵叱之聲，震動天地。有一人稱大將軍，身長丈餘，人馬皆著金甲，光芒射人。親衛數百人，拔劍張弓，直入堂前，呵曰：「汝是何人？敢不避大將軍。」左右竦劍而前，逼問姓名，又問作何物，皆不對。問者大怒催斬，爭射之，聲如雷，竟不應。將軍者極怒而去。俄而猛虎毒龍，狻猊❺獅子，蝮蠍萬計，哮吼拏攫而前，爭欲搏噬，或跳過其上，子春神色不動。有頃而散。

既而大雨滂澍，雷電晦暝，火輪走其左右，電光掣其前後，目不得開。須臾，庭際水深丈餘，流電吼雷，勢若山川開破，不可制止。瞬息之間，波及座下，子春端坐不顧。未頃而散。將軍者復來，引牛頭獄卒，奇貌鬼神，將大鑊湯而置子春前，長槍刀叉，四面週匝，傳命曰：「肯言姓名即放，不肯言，即當心叉取，置之鑊中。」又不應。因執其妻來，摔於階下，指曰：「言姓名，免之。」又不應。及鞭捶流血，或射或斫，或煮或燒，苦不可忍。其妻號哭曰：「誠爲陋拙，有辱君子，然幸得執巾櫛，奉事十餘年矣。今爲尊

❸黃冠絳帔：黃色的帽冠。絳帔，音ㄐㄧㄤˋ ㄆㄟˋ，紅色的下裳。指當時道士穿著的服飾。
❹巵：音ㄓ，古代盛酒的器具。
❺狻猊：獅子。

鬼所執，不勝其苦！不敢望君匍匐拜乞，但得公一言，即全性命矣。人誰無情，君乃忍惜一言？」雨淚庭中，且咒且罵，子春終不顧。將軍且曰：「吾不能毒汝妻耶！」令取剉碓❻，從腳寸寸剉之。妻叫哭愈急，竟不顧之。

將軍曰：「此賊妖術已成，不可使久在世間。」敕左右斬之。斬訖，魂魄被領見閻羅王。王曰：「此乃雲臺峰妖民乎？」促付獄中。於是鎔銅鐵杖、碓搗磑磨❼、火坑鑊湯、刀山劍林之苦，無不備嘗。然心念道士之言，亦似可忍，竟不呻吟。獄卒告受罪畢。王曰：「此人陰賊，不合作得男，宜令作女人。」配生宋州單父縣丞王勤家。生而多病，針灸醫藥之苦，略無停日。亦嘗墜火墮床，痛苦不濟，終不失聲。俄而長大，容色絕代，而口無聲，其家目爲啞女。親戚相狎，侮之萬端，終不能對。同鄉有進士盧珪者，聞其容而慕之，因媒氏求焉。其家以啞辭之。盧曰：「苟爲妻而賢，何用言矣？亦足以戒長舌之婦。」乃許之。盧生備禮親迎爲妻。數年恩情甚篤，生一男，僅二歲，聰慧無敵。盧抱兒與之言，不應。多方引之，終無辭。盧大怒曰：「昔賈大夫之妻鄙其夫，才不笑爾，然觀其射雉，尚釋其憾。今吾陋不及賈，而文藝不徒射雉也，而竟不言！大丈夫爲妻所鄙。安用其子。」乃持兩足，以頭撲於石上，應手而碎，血濺數步。子春愛生於心，忽忘其約，不覺失聲云：「噫……」噫聲未息，身坐故處，道士者亦在其前。初五更矣，其紫焰穿屋上天，火起四合，屋室俱焚。

❻剉碓：剉，音ㄘㄨㄛˋ，砍殺。碓，音ㄉㄨㄟˋ，捶擊。

❼磑磨：磑，音ㄨㄟˋ，磨碎。

道士嘆曰：「措大誤余乃如是。」因提其髻投水甕中，未頃火息。道士前曰：「吾子之心，喜怒哀懼惡欲，皆能忘也，所未臻者愛而已。向使子無噫聲，吾之藥成，子亦上仙矣。嗟乎，仙才之難得也！吾藥可重煉，而子之身猶爲世界所容矣，勉之哉。」遙指路使歸。子春強登臺觀焉，其爐已壞，中有鐵柱，大如臂，長數尺，道士脫衣，以刀子削之。子春既歸，愧其忘誓，復自效以謝其過。行至雲臺峰，無人跡，嘆恨而歸。

[單元五　古典篇]

杜十娘怒沉百寶箱

馮夢龍

內中❶有一人，姓李名甲，字幹先，浙江紹興府人氏。父親李布政，所生三兒，惟甲居長。自幼讀書在庠❷，未得登科❸，援例入於北雍❹。因在京坐監，與同鄉柳遇春監生同游教坊司院內❺，與一個名姬相遇。那名姬姓杜名媺❻，排行第十，院中都稱爲杜十娘，生得：

渾身雅豔，遍體嬌香，兩彎眉畫遠山青，一對眼明秋水潤。臉如蓮萼，分明卓氏文君；唇似

❶內中：此指在明代國子監之中。科舉時代稱進入國子監讀書求學為「入監」，李甲時為監生。

❷庠：古代學校名，此指鄉學。

❸登科：即登上科舉考試之榜。

❹雍：即辟雍，本是天子所設立的大學，明代又稱國子監。明太祖建都南京，設國子監；後成祖還都北京，又另設一國子監。於是稱南京的為「南雍」，北京的為「北雍」。

❺教坊司：凡是宮中宴會，都用女樂歌舞表演，故官妓也稱為「教坊」。明代的娼妓歸教坊司管理，所以稱妓院為「本司院」。

❻媺：音ㄇㄟˇ，善，美之意。

櫻桃，何減白家樊素❼。可憐一片無瑕玉，誤落風塵花柳中。

那杜十娘，自十三歲破瓜❽，今一十九歲，七年之內，不知歷過了多少公子王孫。一個個情迷意蕩，破家蕩產而不惜。院中傳出四句口號來，道是：

坐中若有杜十娘，斗筲❾之量飲千觴；院中若識杜老媺，千家粉面都如鬼。

卻說李公子，風流年少，未逢美色，自遇了杜十娘，喜出望外，把花柳情懷，一擔兒挑在他身上。那公子俊俏龐兒，溫存性兒，又是撒漫❿的手兒，幫襯的勤兒，與十娘一雙兩好，情投意合。十娘因見鴇兒貪財無義，久有從良之志，又見李公子忠厚志誠，甚有心向他。奈李公子懼怕老爺，不敢應承。雖則如此，兩下情好愈密，朝歡暮樂，終日相守，如夫婦一般，海誓山盟，各無他志。真個：

恩深似海恩無底，義重如山義更高。

再說杜媽媽，女兒被李公子占住，別的富家巨室，聞名上門，求一見而不可得。初時李公子撒漫用

❼樊素：唐代名詩人白居易的侍妾，善歌，文中以此形容杜十娘之美貌。
❽破瓜：女子破身之意。
❾筲，音ㄕㄠ：一種酒器，容量是一斗二升。斗筲之量形容酒量小。
❿撒漫：花錢慷慨不吝嗇，即揮霍之意。

錢，大差大使，媽媽脅肩謅笑⓫，奉承不暇。日往月來，不覺一年有餘，李公子囊篋⓬漸漸空虛，手不應心，媽媽也就怠慢了。老布政在家聞知兒子闝⓭院，幾遍寫字來喚他回去。他迷戀十娘顏色，終日延捱。後來聞知老爺在家發怒，越不敢回。古人云：「以利相交者，利盡而踑。」那杜十娘與李公子眞情相好，見他手頭愈短，心頭愈熱。媽媽也幾遍教女兒打發李甲出院，見女兒不統口⓮，又幾遍將言語觸突⓯李公子，要激怒他起身。公子性本溫克，詞氣愈和。媽媽沒奈何，日逐只將十娘叱罵道：「我們行戶⓰人家，吃客穿客，前門送舊，後門迎新，門庭鬧如火，錢帛堆成垜⓱。自從那李甲在此，混帳一年有餘，莫說新客，連舊主顧都斷了。分明接了個鍾馗老，連小鬼也沒得上門。弄得老娘一家人家，有氣無煙，成什麼模樣！」杜十娘被罵，耐性不住，便回答道：「那李公子不是空手上門的，也曾費過大錢來。」媽媽道：「彼一時，此一時，你只教他今日費些小錢兒，把與老娘辦些柴米，養你兩口也好。別人家養的女兒便是搖錢樹，千生萬活，偏我家晦氣，養了個退財白虎⓲。開了大門七件事，般般都在老身心上。到替你這小賤人白白養著窮漢，教我衣食從何處來？你對那窮漢說，有本事出幾兩銀子與我，到得你跟了他去，我別討個丫頭過活卻不好？」

⓫脅肩謅笑：聳立肩膀，露出諂媚的笑容，形容逢迎巴結人的醜態。謅，音ㄗㄡ。
⓬囊篋：口袋、箱篋裡空無一物，比喻貧窮。
⓭闝：音ㄆㄧㄠˊ，同「嫖」。
⓮統口：開口答應。
⓯觸突：干犯、冒犯。
⓰行戶：即行院人家，指妓院。
⓱垜：音ㄉㄨㄛˋ，合攏成堆之物。
⓲白虎：星宿名。是民間說法裡的惡煞。

十娘道：「媽媽，這話是眞是假？」媽媽曉得李甲囊無一錢，衣衫都典盡了，料他沒處設法，便應道：「老娘從不說謊，當眞哩。」十娘道：「娘，你要他許多銀子？」媽媽道：「若是別人，千把銀子也討了。可憐那窮漢出不起，只要他三百兩，我自去討一個粉頭⑲代替。只一件，須是三日內交付與我，左手交銀，右手交人。若三日沒有銀時，老身也不管三七二十一，公子不公子，一頓孤拐⑳，打那光棍出去。那時莫怪老身！」十娘道：「公子雖在客邊乏鈔，諒㉑三百金還措辦得來。只是三日忒近，限他十日便好。」媽媽想道：「這窮漢一雙赤手，便限他一百日，他那裏來銀子。沒有銀子，便鐵皮包臉，料也無顏上門。那時重整家風，媺兒也沒得話講。」答應道：「看你面，便寬到十日。第十日沒有銀子，不干老娘之事。」十娘道：「若十日內無銀，料他也無顏再見了。只怕有了三百兩銀子，媽媽又翻悔起來。」媽媽道：「老身年五十一歲了，又奉十齋㉒，怎敢說謊？不信時與你拍掌爲定。若翻悔時，做豬做狗。」

從來海水斗難量，可笑虔婆㉓意不良；料定窮儒囊底竭，故將財禮難嬌娘。

⑲粉頭：粉，搽臉的白粉，「粉頭」指娼妓。
⑳孤拐：腳的踝骨。一頓孤拐，是痛打踝骨的意思。
㉑諒：推想、料想之意。
㉒十方：十方之齋，指各樣佛齋。
㉓虔婆：舊指以甘言悅人、不甚正派的老婆子，此稱妓院的鴇兒。

是夜，十娘與公子在枕邊，議及終身之事。公子道：「我非無此心。但教坊落籍[24]，其費甚多，非千金不可。我囊空如洗，如之奈何！」十娘道：「妾已與媽媽議定只要三百金，但須十日內措辦。郎君遊資雖罄，然都中豈無親友可以借貸？倘得如數，妾身遂爲君之所有，省受虔婆之氣。」公子道：「親友中爲我留戀行院，都不相顧。明日只做束裝起身，各家告辭，就開口假貸路費，湊聚將來，或可滿得此數。」起身梳洗，別了十娘出門。十娘道：「用心作速，專聽佳音。」公子道：「不須分付。」公子出了院門，來到三親四友處，假說起身告別，眾人到也歡喜。後來敘到路費欠缺，意欲借貸。常言道：「說著錢，便無緣。」親友們就不招架[25]。他們也見得是，道李公子是風流浪子，迷戀煙花，年許不歸，父親都爲他氣壞在家。他今日抖然[26]要回，未知眞假。倘或說騙盤纏到手，又去還脂粉錢，父親知道，將好意翻成惡意，始終只是一怪，不如辭了乾淨。便回道：「目今正值空乏，不能相濟，慚愧！慚愧！」人人如此，個個皆然，並沒有個慷慨丈夫，肯統口許他一十二十兩。李公子一連奔走了三日，分毫無獲，又不敢回決十娘，權且含糊答應。到第四日又沒想頭[27]，就羞回院中。平日間有了杜家，連下處[28]也沒有了，今日就無處投宿。只得往同鄉柳監生寓所借歇。柳遇春見公子愁容可掬，問其來歷。公子將杜十娘願嫁之情，備細說了。遇春搖首道：「未必，未必。那杜媺曲中[29]第一名姬，要從良時，怕

㉔ 落籍：古時妓女列名樂籍，若要從良，必須商得主管官吏的允許，將樂籍中名字除去，稱為「落籍」。
㉕ 招架：招呼款待。
㉖ 抖然：突然。
㉗ 沒想頭：沒希望。
㉘ 下處：旅客寄宿的地方。
㉙ 曲中：妓院的通稱。

沒有十斛明珠，千金聘禮。那鴇兒如何只要三百兩？想鴇兒怪你無錢使用，白白占住他的女兒，設計打發你出門。那婦人與你相處已久，又礙卻面皮，不好明言。明知你手內空虛，故意將三百兩賣個人情，限你十日。若十日沒有，你也不好上門。便上門時，他會說你笑你，落得一場褻瀆，自然安身不牢，此乃煙花逐客之計。足下三思，休被其惑。據弟愚意，不如早早開交[30]為上。」公子聽說，半晌無言，心中疑惑不定。遇春又道：「足下莫要錯了主意。你若真個還鄉，不多幾兩盤費，還有人搭救；若是要三百兩時，莫說十日，就是十個月也難。如今的世情，那肯顧緩急二字的！那煙花也算定你沒處告債，故意設法難你。」公子道：「仁兄所見良是。」口裏雖如此說，心中割捨不下。依舊又往外邊東央西告，只是夜裏不進院門了。

公子在柳監生寓中，一連住了三日，共是六日了。杜十娘連日不見公子進院，十分著緊，就教小廝四兒街上去尋。四兒尋到大街，恰好遇見公子。四兒叫道：「李姐夫，娘在家裏望你。」公子自覺無顏，回復道：「今日不得功夫，明日來罷。」四兒奉了十娘之命，一把扯住，死也不放，道：「娘叫喒[31]尋你。是必同去走一遭。」李公子心上也牽掛著婊子，沒奈何，只得隨四兒進院。見了十娘，嘿嘿[32]無言。十娘問道：「所謀之事如何？」公子眼中流下淚來。十娘道：「莫非人情淡薄，不能足三百之數麼？」公子含淚而言，道出二句：

「不信上山擒虎易，果然開口告人難。」

[30] 開交：開，釋放。此指不再交往，意即離去。
[31] 喒：同「咱」。
[32] 嘿嘿：同「默默」，不出聲。

一連奔走六日，並無銖兩，一雙空手，羞見芳卿，故此這幾日不敢進院。今日承命呼喚，忍恥而來。非某不用心，實是世情如此。」十娘道：「此言休使虔婆知道。郎君今夜且住，妾別有商議。」十娘自備酒肴，與公子懽飲。睡至半夜，十娘對公子道：「郎君果不能辦一錢耶？妾終身之事，當如何也？」公子只是流涕，不能答一語。漸漸五更天曉。十娘道：「妾所臥絮褥內藏有碎銀一百五十兩，此妾私蓄，郎君可持去。三百金，妾任其半，郎君亦謀其半，庶易[33]爲力。限只四日，萬勿遲誤！」十娘起身將褥付公子，公子驚喜過望，喚童兒持褥而去。逕到柳遇春寓中，又把夜來之情與遇春說了。將褥拆開看時，絮中都裹著零碎銀子，取出兌[34]時，果是一百五十兩。遇春大驚道：「此婦眞有心人也。既係眞情，不可相負。吾當代爲足下謀之。」公子道：「倘得玉成[35]，決不有負。」當下柳遇春留李公子在寓，自出頭各處去借貸。兩日之內，湊足一百五十兩交付公子道：「吾代爲足下告債，非爲足下，實憐杜十娘之情也。」李甲拿了三百兩銀子，喜從天降，笑顏逐開，欣欣然來見十娘，剛是第九日，還不足十日。十娘問道：「前日分毫難借，今日如何就有一百五十兩？」公子將柳監生事情，又述了一遍。十娘以手加額道：「使吾二人得遂其願者，柳君之力也！」兩個歡天喜地，又在院中過了一晚。次日，十娘早起，對李甲道：「此銀一交，便當隨郎君去矣。舟車之類，合當預備。妾昨日於姊妹中借得白銀二十兩，郎君可收下爲行資也。」公子正愁路費無出，但不敢開口，得銀甚喜。說猶未了，鴇兒恰來敲門叫道：「媺兒，今日是第十日了。」公子聞叫，啟門相延道：「承媽媽厚意，正欲相請。」便將銀三百兩放在桌上。鴇兒不料公子有銀，嘿然變色，似有悔意。十娘道：「兒在媽媽家中八年，所致金

㉝庶：希望；易，容易。
㉞兌：用天平來秤其重。
㉟玉成：敬請他人因愛護而助成某事。

帛，不下數千金矣。今日從良美事，又媽媽親口所訂，三百金不欠分毫，又不曾過期。倘若媽媽失信不許，郎君持銀去，兒即刻自盡。恐那時人財兩失，悔之無及也。」鴇兒無詞以對。腹內籌畫了半晌，只得取天平兌準了銀子，說道：「事已如此，料留你不住了。只是你要去時，即今就去。平時穿戴衣飾之類，毫釐休想！」說罷，將公子和十娘推出房門，討鎖來就落了鎖。此時九月天氣。十娘才下床，尚未梳洗，隨身舊衣，就拜了媽媽兩拜。李公子也作了一揖。一夫一婦，離了虔婆大門。

鯉魚脱卻金鉤去，擺尾搖頭再不來。

是晚，公子和十娘仍宿謝家[36]。至五鼓，十娘對公子道：「吾等此去，何處安身？郎君亦曾計議有定著否？」公子道：「老父盛怒之下，若知娶妓而歸，必然加以不堪，反致相累。輾轉尋思，尚未有萬全之策。」十娘道：「父子天性，豈能終絕？既然倉卒難犯，不若與郎君於蘇、杭勝地，權作浮居。郎君先回，求親友於尊大人面前勸解和順，然後攜妾於歸，彼此安妥。」公子道：「此言甚當。」次日，二人起身辭了謝月朗，暫往柳監生寓中，整頓行裝。杜十娘見了柳遇春，倒身下拜，謝其周全之德：「異日我夫婦必當重報。」遇春慌忙答禮道：「十娘鍾情所歡，不以貧窶[37]易心，此乃女中豪傑。僕因風吹火[38]，諒區區[39]何足掛齒！」三人又飲了一日酒。次早，擇了出行吉日，雇倩轎馬停當。十娘又遣

[36] 謝家：謝月朗與杜十娘同為妓女，稱為姊妹。杜十娘和李甲離開妓院之後，投宿於其家。
[37] 貧窶：窶，同「窶」，音ㄐㄩˋ，貧寒，指生活艱苦。
[38] 因風吹火：順著風勢吹火，比喻趁著有利的形勢做事。
[39] 區區：微小之意。

童兒寄信，別謝月朗。臨行之際，只見肩輿[40]紛紛而至，乃謝月朗與徐素素拉眾姊妹來送行。月朗道：「十姊從郎君千里間關，囊中消索，吾等甚不能忘情。今合具薄贐[41]，十姊可檢收，或長途空乏，亦可少助。」說罷，命從人挈一描金文具[42]至前，封鎖甚固，正不知什麼東西在裏面。十娘也不開看，也不推辭，但殷勤作謝而已。須臾，輿馬齊集，僕夫催促起身。柳監生三杯別酒，和眾美人送出崇文門外，各各垂淚而別。正是：

他日重逢難預必，此時分手最堪憐。

再說李公子同杜十娘行至潞河，舍陸從舟，卻好有瓜洲[43]差使船轉回之便，講定船錢，包了艙口。比及下船時，李公子囊中並無分文餘剩。你道杜十娘把二十兩銀子與公子，如何就沒了？公子在院中嫖得衣衫藍縷[44]，銀子到手，未免在解庫[45]中取贖幾件穿著，又制辦了鋪蓋，剩來只勾[46]轎馬之費。公子正當愁悶，十娘道：「郎君勿憂，眾姊妹合贈，必有所濟。」乃取鑰開箱。公子在傍自覺慚愧，也不敢窺覷箱中虛實。只見十娘在箱裏取出一個紅絹袋來，擲於桌上道：「郎君可開看之。」公子提在手中，

[40] 肩輿：轎子。
[41] 薄贐：微薄的財物。贐，音ㄐㄧㄣˋ。
[42] 文具：梳妝匣子，又稱奩具。小巧精緻，用以放置梳妝用具、金銀珠寶、首飾等。
[43] 瓜洲：在今江蘇省江都縣南，位於長江和大運河的交會口。
[44] 藍縷：衣服破爛的樣子。
[45] 解庫：押店、當鋪的別稱。
[46] 勾：音ㄍㄡˋ，足夠，同「夠」。

覺得沉重，啟而觀之，皆是白銀，計數整五十兩。十娘仍將箱子下鎖，亦不言箱中更有何物。但對公子道：「承眾姊妹高情，不惟途路不乏，即他日浮寓吳越間，亦可稍佐吾夫妻山水之費矣。」公子且驚且喜道：「若不遇恩卿，我李甲流落他鄉，死無葬身之地矣。此情此德，白頭不敢忘也！」自此每談及往事，公子必感激流涕，十娘亦曲意撫慰。一路無話。不一日，行至瓜洲，大船停泊岸口，公子別雇了民船，安放行李。約明日侵晨[47]，剪江而渡。其時仲冬中旬，月明如水，公子和十娘坐於舟首。公子道：「自出都門，困守一艙之中，四顧有人，未得暢語。今日獨據一舟，更無避忌。且已離塞北，初近江南，宜開懷暢飲，以舒向來抑鬱之氣，恩卿以爲何如？」十娘道：「妾久疏談笑，亦有此心，郎君言及，足見同志耳。」公子乃攜酒具於船首，與十娘鋪氈並坐，傳杯交盞。飲至半酣，公子執卮[48]對十娘道：「恩卿妙音，六院[49]推首。某相遇之初，每聞絕調，輒不禁神魂之飛動。心事多違，彼此鬱鬱，鸞鳴鳳奏，久矣不聞。今清江明月，深夜無人，肯爲我一歌否？」十娘興亦勃發，遂開喉頓嗓，取扇按拍，嗚嗚咽咽，歌出元人施君美《拜月亭》[50]雜劇上「狀元執盞與嬋娟」一曲，名《小桃紅》。真個：

聲飛霄漢雲皆駐，響入深泉魚出遊。

---

47 侵晨：破曉。

48 卮：音ㄓ，圓形的酒器。

49 六院：妓院的代稱。明初，南京妓院最著名的有：來賓、重譯、輕煙、淡粉、梅院、柳翠等六院。因此，把「六院」當作妓院的代稱。

50 拜月亭：南戲的一種，又稱《幽閨記》。

卻說他舟有一少年，姓孫名富，字善賚[51]，徽州新安人氏。家資巨萬，積祖揚州種鹽[52]。年方二十，也是南雍中朋友。生性風流，慣向青樓買笑，紅粉追歡，若嘲風弄月，到是個輕薄[53]的頭兒。事有偶然，其夜亦泊舟瓜洲渡口，獨酌無聊。忽聽得歌聲嘹亮，鳳吟鸞吹，不足喻其美。起立船頭，佇聽半晌，方知聲出鄰舟。正欲相訪，音響倏已寂然。乃遣僕者潛窺蹤跡，訪於舟人。但曉得是李相公雇的船，並不知歌者來歷。孫富想道：「此歌者必非良家，怎生得他一見？」輾轉尋思，通宵不寐。捱至五更，忽聞江風大作。及曉，彤雲密佈，狂雪飛舞。怎見得，有詩為證：

千山雲樹滅，萬徑人蹤絕。扁舟蓑笠翁，獨釣寒江雪。

因這風雪阻渡，舟不得開。孫富命艄公[54]移船，泊於李家舟之傍。孫富貂帽狐裘，推窗假作看雪。值十娘梳洗方畢，纖纖玉手揭起舟傍短簾，自潑盂中殘水，粉容微露，卻被孫富窺見了，果是國色天香。魂搖心蕩，迎眸注目，等候再見一面，杳不可得。沉思久之，乃倚窗高吟高學士[55]《梅花詩》二句，道：

[51] 賚：音ㄌㄞˋ，賞賜、賜予之意。
[52] 種鹽：做鹽商。
[53] 輕薄：言行輕浮不莊重。此指孫富擅於風月狎邪之事。
[54] 艄公：即梢公，船夫。
[55] 高學士：明朝詩人高啓，博學能詩。

雪滿山中高士臥，月明林下美人來。

李甲聽得鄰舟吟詩，舒頭出艙，看是何人。只因這一看，正中了孫富之計。孫富吟詩，正要引李公子出頭，他好乘機攀話。當下慌忙舉手，就問：「老兄尊姓何諱？」李公子敘了姓名鄉貫，少不得也問那孫富。孫富也敘過了。又敘了些太學中的閒話，漸漸親熟。孫富便道：「風雪阻舟，乃天遣與尊兄相會，實小弟之幸也。舟次無聊，欲同尊兄上岸，就酒肆中一酌，少領清誨，萬望不拒。」公子道：「萍水相逢，何當厚擾？」孫富道：「說那裏話！『四海之內，皆兄弟也』。」喝教艄公打跳[56]，童兒張傘，迎接公子過船，就於船頭作揖。然後讓公子先行，自己隨後，各各登跳上涯。

行不數步，就有個酒樓。二人上樓，揀一副潔淨座頭，靠窗而坐。酒保列上酒肴。孫富舉杯相勸，二人賞雪飲酒。先說些斯文中套話，漸漸引入花柳之事。二人都是過來之人，志同道合，說得入港[57]，一發成相知了。孫富屏去左右，低低問道：「昨夜尊舟清歌者，何人也？」李甲正要賣弄在行，遂實說道：「此乃北京名姬杜十娘也。」孫富道：「既係曲中姊妹，何以歸兄？」公子遂將初遇杜十娘，如何相好，後來如何要嫁，如何借銀討他，始末根由，備細述了一遍。孫富道：「兄攜麗人而歸，固是快事，但不知尊府中能相容否？」公子道：「賤室不足慮。所慮者老父性嚴，尚費躊躇耳！」孫富將機就機，便問道：「既是尊大人未必相容，兄所攜麗人，何處安頓？亦曾通知麗人，共作計較否？」公子攢眉而答道：「此事曾與小妾議之。」孫富欣然問道：「尊寵必有妙策。」公子道：「他意欲僑

[56] 打跳：搭跳板，供旅客上下船。

[57] 入港：言語投機。

居蘇杭，流連山水。使小弟先回，求親友宛轉於家君之前，俟家君回嗔作喜[58]，然後圖歸。高明以爲何如？」孫富沉吟半晌，故作愀然之色[59]，道：「小弟乍會之間，交淺言深，誠恐見怪。」公子道：「正賴高明指教，何必謙遜？」孫富道：「尊大人位居方面[60]，必嚴帷薄之嫌[61]，平時既怪兄游非禮之地，今日豈容兄娶不節之人？況且賢親貴友，誰不迎合尊大人之意者？兄枉去求他，必然相拒。就有個不識時務的進言於尊大人之前，見尊大人意思不允，他就轉口了。兄進不能和睦家庭，退無詞以回復尊寵。即使留連山水，亦非長久之計。萬一資斧困竭[62]，豈不進退兩難！」公子自知手中只有五十金，此時費去大半，說到資斧困竭，進退兩難，不覺點頭道是。孫富又道：「小弟還有句心腹之談，兄肯俯聽否？」公子道：「承兄過愛，更求盡言。」孫富道：「疏不間親[63]，還是莫說罷。」公子道：「但說何妨？」孫富道：「自古道：『婦人水性無常。』況煙花之輩，少眞多假。他既係六院名姝，相識定滿天下；或者南邊原有舊約，借兄之力，挈帶而來，以爲他適之地。」公子道：「這個恐未必然。」孫富道：「既不然，江南子弟，最工輕薄。兄留麗人獨居，難保無踰牆鑽穴[64]之事。若挈之同歸，愈增尊大人之怒。爲兄之計，未有善策。況父子天倫，必不可絕。若爲妾而觸父，因妓而棄家，海內必以兄爲

58 回嗔作喜：轉怒為喜。
59 愀然之色：憂愁的臉色。
60 方面：舊時以一省的最高級官吏為方面官，因他擔負了一方面的職責。李甲的父親只是布政使，稱「方面」是尊諛之詞。
61 嚴帷薄之嫌：帷薄，幔簾，是用來分隔內外；古代婦女居內室，其他男子不能隨意進去。此指恪守禮教，嚴防男女混雜一起，沒有分別。
62 資斧困竭：資斧即行旅的費用。此指缺乏行旅的費用。
63 疏不間親：關係疏遠的人不離間關係親近的人。
64 踰牆鑽穴：踰牆，跳牆；鑽穴，鑽洞。此指向女子作挑逗誘引的行為。

浮浪不經之人。異日妻不以爲夫，弟不以爲兄，同袍不以爲友，兄何以立於天地之間？兄今日不可不熟思也！」公子聞言，茫然自失，移席問計：「據高明之見，何以教我？」孫富道：「僕有一計，於兄甚便。只恐兄溺枕席之愛，未必能行，使僕空費詞說耳！」公子道：「兄誠有良策，使弟再睹家園之樂，乃弟之恩人也。又何憚而不言耶？」孫富道：「兄飄零歲餘，嚴親懷怒，閨閣離心[65]，設身以處兄之地，誠寢食不安之時也。然尊大人所以怒兄者，不過爲迷花戀柳，揮金如土，異日必爲棄家蕩產之人，不堪承繼家業耳！兄今日空手而歸，正觸其怒。兄倘能割衽席[66]之愛，見機而作，僕願以千金相贈。兄得千金，以報尊大人，只說在京授館，並不曾浪費分毫，尊大人必然相信。從此家庭和睦，當無間言。須臾之間，轉禍爲福。兄請三思，僕非貪麗人之色，實爲兄效忠於萬一也！」

李甲原是沒主意的人，本心懼怕老子，被孫富一席話，說透胸中之疑，起身作揖道：「聞兄大教，頓開茅塞。但小妾千里相從，義難頓絕，容歸與商之。得其心肯，當奉復耳。」孫富道：「說話之間，宜放婉曲。彼既忠心爲兄，必不忍使兄父子分離，定然玉成兄還鄉之事矣。」二人飲了一回酒，風停雪止，天色已晚。孫富教家僮算還了酒錢，與公子攜手下船。正是：

逢人且說三分話，未可全拋一片心。

卻說杜十娘在舟中，擺設酒果，欲與公子小酌，竟日未回，挑燈以待。公子下船，十娘起迎。見公子顏色匆匆，似有不樂之意，乃滿斟熱酒勸之。公子搖首不飲，一言不發，竟自床上睡了。十娘心中

[65] 閨閣離心：閨閣，內室；大多指女子的臥房。此指妻妾不再與丈夫同心。

[66] 衽席：本指睡臥之處，借指男女之事。

不悅，乃收拾杯盤，爲公子解衣就枕，問道：「今日有何見聞，而懷抱鬱鬱如此？」公子歎息而已，終不啟口。問了三四次，公子已睡去了。十娘委決不下[67]，坐於床頭而不能寐。到夜半，公子醒來，又歎一口氣。十娘道：「郎君有何難言之事，頻頻歎息？」公子擁被而起，欲言不語者幾次，撲簌簌掉下淚來。十娘抱持公子於懷間，軟言撫慰道：「妾與郎君情好，已及二載，千辛萬苦，歷盡艱難，得有今日。然相從數千里，未曾哀戚。今將渡江，方圖百年歡笑，如何反起悲傷？必有其故。夫婦之間，死生相共，有事盡可商量，萬勿諱也。」公子再四被逼不過，只得含淚而言道：「僕天涯窮困，蒙恩卿不棄，委曲相從，誠乃莫大之德也。但反覆思之，老父位居方面，拘於禮法，況素性方嚴，恐添嗔怒，必加黜逐。你我流蕩，將何底止？夫婦之歡難保，父子之倫又絕。日間蒙新安孫友邀飲，爲我籌及此事，寸心如割！」十娘大驚道：「郎君意將如何？」公子道：「僕事內之人，當局而迷。孫友爲我畫一計頗善，但恐恩卿不從耳！」十娘道：「孫友者何人？計如果善，何不可從？」公子道：「孫友名富，新安鹽商，少年風流之士也。夜間聞子清歌，因而問及。僕告以來歷，並談及難歸之故，渠[68]意欲以千金聘汝。我得千金，可藉口以見吾父母；而恩卿亦得所天[69]。但情不能舍，是以悲泣。」說罷，淚如雨下。

十娘放開兩手，冷笑一聲道：「爲郎君畫此計者，此人乃大英雄也！郎君千金之資既得恢復，而妾歸他姓，又不致爲行李之累，發乎情，止乎禮，誠兩便之策也。那千金在那裏？」公子收淚道：「未得恩卿之諾，金尚留彼處，未曾過手。」十娘道：「明早快快應承了他，不可挫過機會。但千金重事，

67 委決不下：委，放棄。此指放不下心。
68 渠：音ㄑㄩˊ，他，指第三人稱。此指孫富。
69 亦得所天：指得到可以仰賴生存的人。

須得兑足交付郎君之手，妾始過舟，勿爲賈豎子[70]所欺。」時已四鼓，十娘即起身挑燈梳洗道：「今日之妝，乃迎新送舊，非比尋常。」於是脂粉香澤，用意修飾，花鈿[71]繡襖，極其華豔，香風拂拂，光采照人。裝束方完，天色已曉。孫富差家僮到船頭候信。十娘微窺公子，欣欣似有喜色，乃催公子快去回話，及早兑足銀子。公子親到孫富船中，回復依允。孫富道：「兑銀易事，須得麗人妝台爲信。」公子又回復了十娘，十娘即指描金文具道：「可便抬去。」孫富喜甚，即將白銀一千兩，送到公子船中。十娘親自檢看，足色足數，分毫無爽。乃手把船舷，以手招孫富。孫富一見，魂不附體。十娘啟朱唇，開皓齒道：「方才箱子可暫發來，內有李郎路引[72]一紙，可檢還之也。」孫富視十娘已爲甕中之鼈，即命家僮送那描金文具，安放船頭之上。十娘取鑰開鎖，內皆抽替[73]小箱。十娘叫公子抽第一層來看，只見翠羽[74]明璫[75]，瑤簪寶珥[76]，充牣[77]於中，約值數百金。十娘遽投之江中。李甲與孫富及兩船之人，無不驚詫。又命公子再抽一箱，乃玉簫金管；又抽一箱，盡古玉紫金玩器，約值數千金。十娘盡投之於大江中。岸上之人，觀者如堵。齊聲道：「可惜，可惜！」正不知什麼緣故。最後又抽一箱，箱中復有一匣。開匣視之，夜明之珠，約有盈把。其他祖母綠、貓兒眼，諸般異寶，目所未睹，莫能定其價之多

---

[70] 賈豎子：對商人輕蔑的稱呼。
[71] 花鈿：本指婦女的額飾，此指盛妝打扮。
[72] 路引：通行證。此指國子監准許回籍的證件。
[73] 抽替：抽屜。
[74] 翠羽：翠鳥的羽毛，青綠色而有光澤，比喻眉色。
[75] 明璫：以明珠做成的耳飾。
[76] 寶珥：用珠玉作成的耳環。
[77] 充牣：充滿。牣，音ㄖㄣˋ。

少。眾人齊聲喝彩，喧聲如雷。十娘又欲投之於江。李甲不覺大悔，抱持十娘慟哭，那孫富也來勸解。十娘推開公子在一邊，向孫富罵道：「我與李郎備嘗艱苦，不是容易到此。汝以姦淫之意，巧爲讒說，一旦破人姻緣，斷人恩愛，乃我之仇人。我死而有知，必當訴之神明，尚妄想枕席之歡乎！」又對李甲道：「妾風塵數年，私有所積，本爲終身之計。自遇郎君，山盟海誓，白首不渝。前出都之際，假託眾姊妹相贈，箱中韞藏[78]百寶，不下萬金。將潤色[79]郎君之裝，歸見父母，或憐妾有心，收佐中饋[80]，得終委託，生死無憾。誰知郎君相信不深，惑於浮議，中道見棄，負妾一片眞心。今日當眾目之前，開箱出視，使郎君知區區千金，未爲難事。妾櫝[81]中有玉，恨郎眼內無珠。命之不辰[82]，風塵困瘁，甫得脫離，又遭棄捐。今眾人各有耳目，共作證明，妾不負郎君，郎君自負妾耳！」

於是眾人聚觀者，無不流涕，都唾罵李公子負心薄倖。公子又羞又苦，且悔且泣，方欲向十娘謝罪。十娘抱持寶匣，向江心一跳。眾人急呼撈救。但見雲暗江心，波濤滾滾，杳無蹤影。可惜一個如花似玉的名姬，一旦葬於江魚之腹！

三魂渺渺歸水府，七魄悠悠入冥途。

[78] 韞藏：韞，音ㄩㄣˋ，藏。收藏之意。
[79] 潤色：修飾文句，以增加文彩，此指粉飾點綴穿著。
[80] 中饋：原指婦女在家主持飲食等事；引申為妻室。
[81] 櫝：木櫃、木匣。
[82] 不辰：不得其時。

當時旁觀之人，皆咬牙切齒，爭欲拳毆李甲和那孫富。慌得李、孫二人，手足無措，急叫開船，分途遁去。李甲在舟中。看了千金，轉憶十娘，終日愧悔，鬱成狂疾，終身不痊。孫富自那日受驚，得病臥床月餘，終日見杜十娘在傍詬罵，奄奄而逝。人以爲江中之報也。

卻說柳遇春在京坐監完滿[83]，束裝回鄉，停舟瓜步[84]。偶臨江淨臉，失墜銅盆於水，覓漁人打撈。及至撈起，乃是個小匣兒。遇春啟匣觀看，內皆明珠異寶，無價之珍。遇春厚賞漁人，留於床頭把玩。是夜夢見江中一女子，凌波[85]而來，視之，乃杜十娘也。近前萬福[86]，訴以李郎薄倖之事。又道：「向承君家慷慨，以一百五十金相助，本意息肩[87]之後，徐圖報答。不意事無終始；然每懷盛情，悒悒未忘[88]。早間曾以小匣托漁人奉致，聊表寸心，從此不復相見矣。」言訖，猛然驚醒，方知十娘已死，歎息累日。後人評論此事，以爲孫富謀奪美色，輕擲千金，固非良士；李甲不識杜十娘一片苦心，碌碌蠢才，無足道者。獨謂十娘千古女俠，豈不能覓一佳侶，共跨秦樓之鳳[89]，乃錯認李公子。明珠美玉，投於盲人，以致恩變爲仇，萬種恩情，化爲流水，深可惜也！有詩歎云：

不會風流莫妄談，單單情字費人參；若將情字能參透，喚作風流也不慚。

---

83 坐監完滿：指入國子監就讀的人，完成學業。
84 瓜步：地名，位於今江蘇省六和縣東南。
85 凌波：在水上行走。
86 萬福：古代女子所行的拜手禮，多口稱「萬福」，後亦指祝人一切吉祥如意、身體健康。
87 息肩：事情告一段落，可以休息。
88 悒悒未忘：悒，音ㄧˋ，悒悒、愁悶。此指憂傷不已，不能忘懷。
89 共跨秦樓之鳳：相傳春秋時蕭史善吹簫，秦穆公將女兒弄玉許配予他。蕭史教弄玉吹簫，簫聲美妙，致引來鳳凰。後來，弄玉乘鳳，蕭史乘龍，一同飛昇而去。此處比喻夫妻美好的生活。

畫皮

蒲松齡

太原王生，早行，遇一女郎，抱襆❶獨奔，甚艱於步❷。急走趁之❸，乃二八姝麗❹。心相愛樂，問：「何夙夜踽踽獨行？」女曰：「行道之人，不能解愁憂，何勞相問。」生曰：「卿何愁憂？或可效力，不辭也。」女黯然❺曰：「父母貪賂❻，鬻妾❼朱門。嫡妒甚，朝詈❽而夕楚辱之，所弗堪也，將遠遁耳。」問：「何之？」曰：「在亡❾之人，烏有定所。」生言：「敝廬不遠，即煩枉顧。」女喜，從之。生代攜襆物，導與同歸。

❶抱襆：抱著包袱。襆，音ㄆㄨˊ。本為被子，此作行李或包袱。
❷甚艱於步：走得很吃力。
❸趁之：追逐、追隨她。
❹二八姝麗：十六歲的美麗少女。
❺黯然：傷心的樣子。
❻貪賂：貪財。賂，指納聘的財物。
❼鬻妾：侍妾。
❽詈：音ㄌㄧˋ，罵。
❾在亡：在外逃亡。

女顧室無人，問：「君何無家口？」答云：「齋⑩耳。」女曰：「此所良佳。如憐妾而活之，須秘密，勿泄。」生諾之，乃與寢合。使匿密室，過數日而人不知也。生微告妻。妻陳疑爲大家媵妾，勸遣之。生不聽。

偶適市，遇一道士，顧生而愕。問：「何所遇？」答言：「無之。」道士曰：「君身邪氣縈繞，何言無？」生又力白。道士乃去，曰：「惑哉！世固有死將臨而不悟者。」生以其言異，頗疑女。轉思明明麗人，何至爲妖，意道士借魘禳⑪以獵食者。無何，至齋門，門內杜，不得入。心疑所作，乃踰垝垣⑫，則室門亦閉。躡跡⑬而窗窺之，見一獰鬼，面翠色，齒巉巉如鋸⑭。鋪人皮於榻上，執彩筆而繪之。已而擲筆，舉皮，如振衣狀，披於身，遂化爲女子。睹此狀，大懼，獸伏而出⑮。急追道士，不知所往。遍跡之，遇於野，長跪乞救。道士曰：「請遣除之。此物亦良苦，甫能覓代者，予亦不忍傷其生。」乃以蠅拂⑯授生，令挂寢門。臨別，約會於青帝⑰廟。

生歸，不敢入齋，乃寢內室，懸拂焉。一更許，聞門外戢戢有聲，自不敢窺也，使妻窺之。但見女

⑩齋：書房。
⑪魘禳：鎮壓邪祟，驅除鬼怪。魘，音ㄧㄢˇ，鎮壓。禳，音ㄖㄤˊ，古代驅除災害的祭祀儀式。
⑫垝垣：毀壞的牆。垝，音ㄍㄨㄟˇ。
⑬躡跡：提起腳跟輕輕走路。躡，用腳尖走路。
⑭齒巉巉如鋸：牙齒尖長如鋸子。巉巉，形容山勢高峻。
⑮獸伏而出：如獸一般四肢著地爬行。
⑯蠅拂：拂塵，驅趕蒼蠅或拂去塵埃的用具。
⑰青帝：《周禮．天官．大宰》：「祀五帝。」賈公彥疏：「古代傳天上有五帝，東方青帝靈威仰。」《雲笈七籤》十八《老子中經》曰：「後道教供奉五帝為神，稱東方之帝為蒼帝。」蒼，通青，故稱青帝。

子來，望拂子不敢進；立而切齒⑱，良久乃去。少時復來，罵曰：「道士嚇我。終不然，寧入口而吐之耶！」取拂碎之，壞寢門而入。徑登生床，裂生腹，掬生心而去。妻號。婢入燭之，生已死，腔血狼藉⑲。陳駭涕不敢聲。

明日，使弟二郎奔告道士。道士怒曰：「我固憐之，鬼子乃敢爾！」即從生弟來。女子已失所在。既而仰首四望，曰：「幸遁未遠。」問：「南院誰家？」二郎曰：「小生所舍也。」道士曰：「現在君所。」二郎愕然，以爲未有。道士問曰：「曾否有不識者一人來？」答曰：「僕早赴青帝廟，良不知。當歸問之。」去少頃而返，曰：「果有之。晨間一嫗來，欲傭爲僕家操作，室人止之⑳，尚在也。」道士曰：「即是物矣。」遂與俱往。仗木劍，立庭心，呼曰：「孽魅！償我拂子來！」嫗在室，惶遽無色，出門欲遁。道士逐擊之。嫗仆，人皮劃然㉑而脫，化爲厲鬼，臥嗥如豬。道士以木劍梟其首。身變作濃煙，匝地作堆㉒。道士出一葫蘆，拔其塞，置煙中，飀飀然㉓如口吸氣，瞬息煙盡。道士塞口入囊。共視人皮，眉目手足，無不備具。道士卷之，如卷畫軸聲，亦囊之，乃別欲去。陳氏拜迎於門，哭求回生之法。道士謝不能。陳益悲，伏地不起。道士沉思曰：「我術淺，誠不能起死。我指一人，或能之，往求必合有效。」問：「何人？」曰：「市上有瘋者，時臥糞土中。試叩而哀之。倘狂辱

⑱ 切齒：形容非常憤怒、痛恨。
⑲ 狼藉：散亂不整齊。
⑳ 室人止之：妻子把她留了下來。
㉑ 劃然：以刀劃破東西的聲音，形容皮肉撕裂之聲。
㉒ 匝地作堆：在地上繞成圈。匝，圍成一圈。
㉓ 飀飀然：發出飀飀的吸氣聲。飀，音ㄌㄧㄡˊ。

夫人，夫人勿怒也。」二郎亦習知之。乃別道士，與嫂俱往。

見乞人顛歌道上，鼻涕三尺，穢不可近。陳膝行而前。乞人笑曰：「佳人愛我乎？」陳告之故。又大笑曰：「人盡夫也，活之何爲？」陳固哀之。乃曰：「異哉人死而乞於我。我閻摩㉔耶？怒以杖擊陳。陳忍痛受之。市人漸集如堵㉕。乞人咯痰唾盈把㉖，舉向陳吻曰：「食之！」陳紅漲於面，有難色：既思道士之囑，遂強啖焉。覺入喉中，硬如團絮，格格而下，停結胸間。乞人大笑曰：「佳人愛我哉！」遂起，行已不顧。尾之，入於廟中。追而求之，不知所在：前後冥搜㉗，殊無端兆㉘，慚恨而歸。既悼夫亡之慘，又悔食唾之羞，俯仰哀啼，但願即死。方欲展血斂屍㉙，家人佇望，無敢近者。陳抱屍收腸，且理且哭。哭極聲嘶，頓欲嘔。覺鬲中㉚結物，突奔而出，不及回首，已落腔中。驚而視之，乃人心也。在腔中突突猶躍，熱騰蒸如煙然。大異之。急以兩手合腔，極力抱擠。少懈，則氣氤氳㉛自縫中出。乃裂繒帛急束之。以手撫屍，漸溫。覆以衾裯㉜。中夜啟視，有鼻息矣。天明，竟活。爲言：「恍惚若夢，但覺隱痛耳」視破處痂結如錢，尋癒。

㉔閻摩：亦稱閻羅，主宰地獄之神。
㉕漸集如堵：人潮的聚集如一堵牆。
㉖咯痰唾盈把：吐出一大把痰來。咯，音ㄌㄨㄛˋ，嘔吐。盈把，滿滿一把。
㉗冥搜：到處尋找。
㉘殊無端兆：一點徵兆也沒有。
㉙展血斂屍：展，抹。抹去污血，收屍入斂。
㉚鬲中：腹腔與胸腔之間的隔膜中。
㉛氤氳：煙雲散布瀰漫的樣子。
㉜衾裯：被子。

異史氏曰：「愚哉世人！明明妖也，而以爲美。迷哉愚人！明明忠也，而以爲妄。然愛人之色而漁之，妻亦將食人之唾而甘之矣。天道好還[33]，但愚而迷者不悟耳。可哀也夫！」

[33] 天道好還：指天理有常，善有善報，惡有惡報。

Note

國家圖書館出版品預行編目資料

大學國文選：轉化與創造／輔仁大學國文選編輯委員會；王欣慧召集；孫永忠主編；余育婷、李鵑娟、孫永忠、黃培青編撰. 一一初版. 一一臺北市：五南圖書出版股份有限公司, 2020.09
面； 公分
ISBN 978-986-522-040-2（平裝）

1.國文科 2.讀本

836 109007425

1XKA 國文系列

大學國文選：轉化與創造

輔仁大學國文選編輯委員會
召集人 — 王欣慧
主　編 — 孫永忠
編　撰 — 余育婷、李鵑娟、孫永忠、黃培青
發行人 — 楊榮川
總經理 — 楊士清
總編輯 — 楊秀麗
副總編輯 — 黃惠娟
責任編輯 — 陳巧慈
封面設計 — 陳亭瑋
校　對 — 江宛芸、張耘榕
出版者 — 五南圖書出版股份有限公司
地　址：106臺北市大安區和平東路二段339號4樓
電　話：(02)2705-5066　傳　真：(02)2706-6100
網　址：https://www.wunan.com.tw
電子郵件：wunan@wunan.com.tw
劃撥帳號：01068953
戶　名：五南圖書出版股份有限公司
法律顧問　林勝安律師
出版日期　2020年9月初版一刷
　　　　　2023年9月初版四刷
定　價　新臺幣200元

經典永恆・名著常在

五十週年的獻禮——經典名著文庫

五南，五十年了，半個世紀，人生旅程的一大半，走過來了。
思索著，邁向百年的未來歷程，能為知識界、文化學術界作些什麼？
在速食文化的生態下，有什麼值得讓人雋永品味的？

歷代經典・當今名著，經過時間的洗禮，千錘百鍊，流傳至今，光芒耀人；
不僅使我們能領悟前人的智慧，同時也增深加廣我們思考的深度與視野。
我們決心投入巨資，有計畫的系統梳選，成立「經典名著文庫」，
希望收入古今中外思想性的、充滿睿智與獨見的經典、名著。
這是一項理想性的、永續性的巨大出版工程。
不在意讀者的眾寡，只考慮它的學術價值，力求完整展現先哲思想的軌跡；
為知識界開啟一片智慧之窗，營造一座百花綻放的世界文明公園，
任君遨遊、取菁吸蜜、嘉惠學子！